Verão
no Aquário

Coleção Lygia Fagundes Telles

CONSELHO EDITORIAL
Alberto da Costa e Silva
Antonio Dimas
Lilia Moritz Schwarcz
Luiz Schwarcz

COORDENAÇÃO EDITORIAL
Marta Garcia

LIVROS DE LYGIA FAGUNDES TELLES
PUBLICADOS PELA COMPANHIA DAS LETRAS
Ciranda de Pedra 1954, 2009
Verão no Aquário 1963, 2010
Antes do Baile Verde 1970, 2009
As Meninas 1973, 2009
Seminário dos Ratos 1977, 2009
A Disciplina do Amor 1980, 2010
As Horas Nuas 1989, 2010
A Estrutura da Bolha de Sabão 1991, 2010
A Noite Escura e Mais Eu 1995, 2009
Invenção e Memória 2000, 2009
Durante Aquele Estranho Chá 2002, 2010
Histórias de Mistério, 2002, 2010
Passaporte para a China, 2011
O Segredo e Outras Histórias de Descoberta, 2012
Um Coração Ardente, 2012
Os Contos, 2018

Lygia Fagundes Telles

Verão no Aquário

Romance

Nova edição revista pela autora

POSFÁCIO DE
Ivan Marques

COMPANHIA DAS LETRAS

Copyright © 1963, 2010 by Lygia Fagundes Telles

Grafia atualizada segundo o Acordo
Ortográfico da Língua Portuguesa de 1990,
que entrou em vigor no Brasil em 2009.

CAPA E PROJETO GRÁFICO
warrakloureiro
sobre detalhe de *Os Três Músicos*,
de Beatriz Milhazes, 1998, acrílica sobre tela,
220x190 cm. Coleção particular.
Reprodução de Isabella Matheus.

FOTO DA AUTORA
Adriana Vichi

PREPARAÇÃO
Cristina Yamazaki/ Tododipo Editorial

REVISÃO
Marina Nogueira
Márcia Moura

Os personagens e as situações desta obra
são reais apenas no universo da ficção;
não se referem a pessoas e fatos concretos,
e sobre eles não emitem opinião.

Dados Internacionais de Catalogação na Publicação (CIP)
(Câmara Brasileira do Livro, SP, Brasil)

Telles, Lygia Fagundes
Verão no Aquário: Romance / Lygia Fagundes Telles; posfácio
de Ivan Marques. — São Paulo : Companhia das Letras, 2010.

Nova edição revista pela autora
ISBN 978-85-359-1771-0

1. Romance brasileiro I. Marques, Ivan. II. Título

10-10676   CDD-869.93

Índice para catálogo sistemático:
1. Romances : Literatura brasileira 869.93

5ª reimpressão

Todos os direitos desta edição reservados à
EDITORA SCHWARCZ S.A.
Rua Bandeira Paulista, 702, cj. 32
04532-002 — São Paulo — SP
Telefone: (11) 3707-3500
www.companhiadasletras.com.br
www.blogdacompanhia.com.br
facebook.com/companhiadasletras
instagram.com/companhiadasletras
twitter.com/cialetras

Para Nora e Paulo Rónai

Sumário

Nota da Autora 9

Verão no Aquário 11

SOBRE LYGIA FAGUNDES TELLES E ESTE LIVRO

Posfácio — *Atração do Abismo,*
Ivan Marques 219
A Autora 229

Nota da Autora

Este romance foi escrito em 1960 e a primeira edição publicada em 1963.

Nesta nova edição, após a revisão e algumas pequenas e necessárias modificações feitas por esta autora, evidentemente foram preservados os usos e costumes daquela época.

Verão
no Aquário

I

Ele veio vindo silenciosamente. Inclinou-se sobre a minha cama. Seus dedos transparentes quase tocaram no meu ombro: "Raíza, Raíza!". Tinha uma rosa em lugar do rosto, mas o hálito adocicado era de hortelã. Papai, você bebeu outra vez! Tive vontade de dizer-lhe. Foi quando senti um perfume moribundo de rosas e lembrei-me então de que ele tinha morrido. Quis abraçá-lo, paizinho, que saudade, que saudade!...

Quando ergui os braços ele já tinha desaparecido. Senti o travesseiro úmido de lágrimas. Contudo, fora um bom sonho. A única coisa estranha era aquela rosa em lugar do rosto, mas assim mesmo cheguei a achar natural vê-lo com a cara desabrochada em pétalas.

Voltei-me para a porta por onde ele entrara. Estava fechada. Na escuridão do quarto, só a porta tinha o contorno marcado pela frincha de luz que se filtrava por baixo: era como a tampa do enorme caixão de um enterrado vivo acordando com a noite em redor. E vendo pelas frestas o sol a brilhar lá fora.

Acendi o abajur. Marfa agitou-se ao meu lado.

— Amanheceu?

Dormia seminua, de bruços sobre o travesseiro. Achei-a grande demais. Branca demais naquela meia nudez. Tive ímpetos de jogá-la para fora da cama.

— Precisava beber tanto? Hein?

Ela entreabriu as pálpebras pesadas.

— Estou podre, compreende? Já é dia?

Sentei-me na cama. Agora podia ouvir o ruído da máquina, mamãe estava escrevendo, André ainda não tinha chegado para o chá. André, André. Ele tinha o olhar dourado. Como era possível alguém ter o olhar assim dourado? Era preciso me apressar antes que chegassem a ser amantes, se é que ainda não... Seria concebível uma amizade assim branca? Dentro de alguns anos ela já estaria velha. Teria tido forças para resistir àquele jovem esbraseado e ainda por cima casto?! Casto... Está claro que já se amavam como loucos, os hipócritas. Ela, principalmente, tão distinta, tão correta. E tão devassa.

Marfa gemeu afastando as cobertas.

— Calor infernal, compreende? Que horas são?

— Mais de duas da tarde, minha mãe já está escrevendo.

Ela sorriu mansamente. E de mãos postas sob a face, como uma criança que acabasse de rezar, fechou os olhos e dormiu. Na fisionomia, aquela mesma expressão inefável de tio Samuel recortando as damas do baralho. Cobri-lhe o seio nu. Tinha a falsa lucidez dos loucos mas não chegaria a enlouquecer, falava em suicídio mas não chegaria a se matar.

Enlacei as pernas. Por que a rosa em lugar do rosto? Voltei-me para o retrato dele em cima da mesinha de cabeceira. Meu pai. Com as mãos enfurnadas nos bolsos do sobretudo, ele sorria no meio de um jardim. Que jardim seria aquele? Uma ligeira névoa velava sua face. Em redor, os arbustos também estavam velados. Que jardim é este? perguntei-lhe quando achei o retrato.

Estávamos os três no sótão: ele, tio Samuel e eu. Tio Samuel recortava com sua tesourinha de unhas todas as damas que ia achando no baralho. E meu pai limpava os livros que ia tirando do caixote para colocá-los na estante. Cada livro que punha na prateleira fazia a estante vacilar como um castelo de cartas prestes a se desfazer. Que jardim é este, pai? insisti, mostrando-lhe a fotografia. Ele sacudiu um dicionário. Um verme lustroso caiu de dentro e ficou a se contorcer no chão. Delicadamente meu pai o colheu num pedaço de papel e atirou-o pela janela. Ficou ainda um instante imóvel, como se esperasse ouvir o ruído da queda do verme lá fora. E voltou a ajoelhar-se diante da pilha de livros. Teve um sorriso reticente: "Ah, Raíza, esse jardim... Imagine você que sonhei que estava passeando num jardim completamente desconhecido. Lembro-me de que estava de sobretudo porque o sol não aquecia e ventava muito. Em dado momento alguém, que se escondia atrás de uma árvore, tirou meu retrato. Cheguei a ouvir o clique da máquina. Acordei e não pensei mais nisso. Um dia, folheando um livro, adivinha o que encontrei?". Aproximei-me até sentir-lhe o hálito de hortelã. "Adivinha o que encontrei?", repetiu ele num tom tão baixo que tio Samuel teve que tirar os óculos para ouvir melhor. Este retrato? perguntei. Meu pai afastou da fronte uma mecha alourada de cabelo. "Este retrato. Reconheci imediatamente, era o mesmo jardim do sonho. Não é extraordinário?"

Calou-se e recomeçou a limpar os livros. Tio Samuel deu um suspiro e recolocando os óculos, continuou a picotar, com a ponta da tesoura, a cabeleira vermelha de uma Dama de Copas. Guardei o retrato no bolso do avental, um avental com morangos bordados por Dionísia. Nesse bolso eu guardava retalhos de seda que tia Graciana punha fora, caixas de fósforos com besourinhos dentro, cromos, pedrinhas... Lá também guardei o retrato enquanto ouvia a voz tremida de tia Graciana na cantiga do cavalheiro do parque: "Oh! o cavalheiro que encontrei no parque...".

O quarto de tia Graciana ficava exatamente debaixo do sótão da nossa antiga casa. Eu poderia descer e pedir para ficar ao seu lado, vendo-a reformar no manequim de pano — um manequim peitudo que parecia usar espartilho — os vestidos do tempo em que ela era ainda mocinha. Se tivesse sorte, poderia surpreendê-la preparando suas misteriosas essências: "Fique quietinha aí, Raíza, que não gosto que descubram meus segredos. Quando o perfume ficar pronto, o primeiro vidrinho será seu". Era emocionante vê-la indo e vindo com seu avental azul, toda atarefada com as experiências nos tubinhos de líquidos turvos. E se eu conseguisse a fórmula? De vez em quando, ela se voltava e eu então fingia estar contando as flores do papel da parede, umas vagas guirlandas de miosótis que desciam enleados em laçarotes de fitas, como convém ao quarto de uma mocinha. Mas de uma mocinha que passou muitos anos fora e que, ao voltar, continuou como se nada tivesse mudado, cantarolando distraidamente as mesmas cantigas em meio dos móveis carunchados e cortinas comidas por traças.

Adiante, ficava a saleta da minha mãe, aquela mãe silenciosa, sempre vestida de branco, uns vestidos tão leves que me faziam pensar na história da sereiazinha que se transformara em espuma. Soube bem mais tarde que herdara aqueles vestidos de uma prima que tinha morrido em meio da promessa que fizera de só vestir roupas brancas até se curar. Eu podia estender-me no chão e ali ficar desenhando nas folhas que ela me atirasse, pena não saber o que era esfinge para então desenhar uma e seria esse o retrato da minha mãe. "É uma esfinge!", disse dona Leonora à mulher dos tricôs. "Esfinge?...", repetiu a mulherzinha parando as agulhas no ar. "E o marido?" Dona Leonora bateu com o leque fechado na minha mão martelando as teclas do piano: "Mais atenção, menina, trata-se de uma valsa, são fadas que dançam, pense em fadas!". E voltando-se para a amiga, no mesmo tom com que me falara das fadas: "É um farmacêutico fracassado, bebe demais, você não sabia? Está sempre escondido no sótão em companhia do irmão, um tipo meio louco que vive cortando coisas, a família inteira é esquisitíssima. Esquisitíssima! A mãe ainda é a única que me inspira confiança, diz que é escritora...". A mulher dos tricôs recomeçou a trabalhar, eu podia ouvir agora o som metálico das agulhas a se buscarem por entre a malha: "Mas escreve o quê?". E dona Leonora, batendo impaciente com o leque no piano para marcar o compasso: "Quem é que sabe? A mulher é uma esfinge". Pois eu podia deitar-me aos pés dessa esfinge e ficar desenhando. Podia ainda ir à cozinha para conversar com Dionísia enquanto ela bordava em algum pano os morangos vermelhos, era bom vê-la bordar. Ou polir as caçarolas até refletirem, como num espelho, sua face furiosamente negra.

Tudo — o quarto de tia Graciana, a saleta da minha mãe, a cozinha — tudo era mais alegre do que o sótão. Mas era no sótão que eu queria ficar, sentada ao lado do meu pai que para lá subia quando ficava cheirando a hortelã, ao lado de tio Samuel que se refugiava com sua loucura entre os móveis imprestáveis e caixotes de livros nos quais os bichos cavavam galerias. Era ali o meu lugar. E para certificar-me disso, bastava ver o velho espelho apoiado na parede, um espelho redondo todo cheio de manchas porosas como esponjas embebidas em tinta. Nele eu ficava amarela também, eu, meu pai, tio Samuel, todos da mesma cor do cristal doente, enfeixados no círculo da moldura dourada. Então meus olhos se enchiam de lágrimas porque eu tinha medo de que um dia o espelho se quebrasse e nos perdêssemos um do outro. Quem cuidaria do meu pai, delicado como uma folha murcha, dessas que caem ao primeiro vento?! E do tio, balofo como um fruto que apodreceu antes de amadurecer, quem cuidaria dele, quem? No espelho, só no espelho eu via que fazíamos parte da mesma árvore, a árvore detestável que minha mãe aceitava em silêncio e que tia Graciana, distraidamente, fingia não ver. Para que as duas irmãs ficassem em paz — minha mãe com seus livros e minha tia com suas costuras — era preciso que os dois irmãos ficassem longe de suas vistas. No sótão, por exemplo. Sim, a casa era enorme mas nós três não cabíamos dentro dela. Mas cabíamos dentro do espelho. E éramos felizes quando nos encontrávamos nele embora parecêssemos três afogados na superfície de uma água vidrada.

— Por que dormi aqui? — perguntou Marfa.

Abri os olhos. O passado desapareceu com a rapidez dos vermezinhos que espiavam e se recolhiam nos furos dos livros do sótão. Encolhi as pernas e apoiei o queixo nos joelhos. "Raíza, Raíza!", ele chamara. E embora sua face fosse uma rosa, senti o hálito de hortelã.

— Você bebeu demais, não podia voltar daquele jeito para o pensionato.

Ela sorriu. Espreguiçou-se.

— Não podia por quê? As freirinhas me adoram, compreende? É aquela velha história, atração do abismo... Tem uma que é masoquista, quando chego ela vem depressa ao meu quarto e fica me devorando com os olhos, sentindo em mim cheiro de homem. E me faz cada pergunta... Um dia quase desmaiou quando viu uma mancha roxa no meu pescoço.

— Não sei como você ainda não foi expulsa.

— Nunca, meu bem. Sou para elas uma espécie de penitência, compreende? As outras pensionistas são sonsas, quando passam a noite fora, entram de madrugada com chave falsa e chegam ainda em tempo de assistir à primeira missa. Eu não faço mistério. Pois é esta ovelha a mais amada. A vida inteira lidei com freiras, tenho um jeito todo especial para levá-las direitinho... Quando a Madre Luzia perde a paciência, caio em tamanha depressão que ela chega a recear que eu enlouqueça como meu pai. E me perdoa. É da maior conveniência ter, às vezes, um pai louco.

— Sonhei com meu pai.

Ela virou-se de bruços na cama. A cabeleira negra espalhou-se no travesseiro.

— Pois eu não tenho morto nenhum para sonhar. Nem me lembro das feições da minha mãe, sei que tinha cabelos também pretos e que era meio estrábica, como eu, só isso que sei. E se amanhã meu pai morrer, pensarei nele apenas como num homem que me dava medo quando eu era criança mas que agora não me provoca mais nada. Nada. Que me importam os mortos? Eu também vou morrer, compreende? E quero saber agora se alguém vai se lembrar de me pôr no sonho.

Acendi um cigarro. Minha mãe me velaria com uma expressão magoada. Mas distante. Não, não precisaria nem de chazinhos nem de amigas, as amigas que por sinal nunca teve. André chegaria em silêncio e ficaria ao lado dela, vigilante. Então ela descansaria no regaço as belas mãos serenas e ficaria me olhando. Apenas olhando. Meu perfil — vago como um fio de linha desenrolado no ar — meu perfil não conseguiria comovê-la. Nem minhas mãos falsamente compungidas. Nem meu corpo apaziguado. Ela me olharia como olhou para meu pai morto. E de tudo o que fui e de tudo o que fiz conservaria apenas a lembrança do reflexo da chama da vela em meus cabelos. De tudo, ficaria apenas aquele efeito de luz no meu cabelo. E que um dia ela poderia aproveitar numa das suas personagens que morreu jovem.

— Ele veio me acordar, mas não falamos. Como os mortos são solitários! Meu Deus, como são solitários!

Marfa levantou-se e deu alguns passos arrastados em direção à porta. Vestia apenas o paletó do meu pijama. As pernas muito brancas vacilaram. Fez então meia-volta e desabou novamente na cama.

— Tenho nojo dos mortos, compreende? Por mais que se ame um morto, é preciso prender a respiração para beijá-lo. Na noite em que tomei aquele tubo, vi bem como Eduardo fez. Nem morta eu estava, nem morta... Quis viver quando vi então que estava morrendo sem ter ninguém ao menos para segurar a mão. — Fez uma pausa. E baixando a voz pesada, um pouco rouca: — Você se lembra daquela história da ânfora de lágrimas? As lágrimas que o príncipe chorou pela princesa foram tantas, tantas que a ânfora até transbordou. Pois o anjo que for incumbido de recolher as

19

lágrimas que chorarem por mim terá que se valer de uma fonte, compreende?

— A tia faria uma bela mortalha — eu disse. E não pude deixar de rir ao pensar em tia Graciana toda entretida com os retalhos de tafetás e rendas, cosendo com seu ar distraído a mortalha de virgem. Não chegaria a cantar. Mas de vez em quando, ao pregar um alfinete nos panos ajustados no manequim, mentalmente repetiria o estribilho da canção do cavalheiro do parque.

E por mim? Quem choraria por mim? Não minha mãe. Nem André, pálido, os maxilares contraídos mas os olhos secos. Nem tia Graciana, com mais vontade de sofrer do que sofrendo realmente, meio assustada com a sensação de alívio que teria ao me ver solucionada, afinal. Sobre o problema resolvido, respingaria um pouco daquelas suas essências, Deus sabe o que faz... Dionísia ficaria pensando na menina que ela levava pela mão nos dias de procissão e choraria sentidamente mas com saudades da menina parecida com a morta ali na frente. Marfa mergulharia numa bebedeira atroz e iria dormir com Eduardo. Ou com Fernando, para distraí-lo. Fernando. Iria com ela? Iria, sim, mas antes ficaria algum tempo defronte do gesso em cima da cômoda, olhando perdidamente para a cabeça de Germaine mas pensando na minha: o carneirinho louro. Por essa altura, já estaria com uma pequena ao lado e que ao vê-lo chorar assim, seria muito compreensiva, mas muito mesmo. E chegaria a me elogiar com essa grata ternura que as mulheres têm para com as mortas, as únicas que não constituem nenhum perigo e que nem em sonhos voltarão para ameaçá-las. Ele então pousaria a cabeça no peito da moça. E ficaria vendo as próprias lágrimas escorrerem por entre os seios dela como rios, exatamente, como rios. Em meio da sonolência, ele acharia esse lugar-comum de uma beleza rara, as lágrimas descendo como rios por entre os montes, Meu carneirinho!... E a pequena já começaria a se sentir um carneirinho também.

— Queria vomitar — disse Marfa.

Estava lívida. Nos olhos estrábicos, a expressão aparvalhada, mistura de espanto e medo.

— Você ainda estoura.

— Não vou beber nunca mais, nunca mais...

— Não falo só na bebida, você sabe.

— Rodolfo me deu uma dose pequena, foi uma brincadeira, compreende? Eu só queria experimentar.

— Já faz algum tempo que você está só experimentando — eu disse enquanto me desvencilhava da sua mão que me apertava o braço.

Fernando devia vê-la assim desfeita. Mas ele também estava ficando balofo, com um começo de ventre já se delineando. Por isso era condescendente para com aqueles seios precocemente fanados como dois frutos dentro de uma gaveta: tio Samuel e ela lembrando sempre a polpa de frutos de sombra, sem perfume, sem sabor. Quem os colheu antes da hora? Quem?

Ela voltou a cabeça num dolorido movimento de pêndulo.

— Uma ânsia...

— Respira bem fundo.

— Foi mais por brincadeira, compreende?

Soprei-lhe a fumaça na cara devastada.

— Compreendo.

Ela cravou o olhar em mim. Tinha as pupilas redondas e negras, de um brilho fosco. Lembrei-me das maçanetas das portas da nossa antiga casa.

— Você precisa acreditar, não vou beber nunca mais, nunca mais!

— Está bem, acredito, vai ficar ótima, não se fala mais nisso.

Ela cobriu o rosto com o lençol.

— Se a gente pudesse desatarraxar a cabeça e pendurá-la num cabide... Tem aí algum comprimido?

Ai! aquelas ressacas. Primeiramente, os protestos de regeneração, de feroz regeneração. Depois, com o mal-estar, vinha a depressão. E as lágrimas, as lágrimas obscenas de tão abundantes.

Procurei na gaveta um comprimido para ela e outro para mim mas só encontrei envelopes vazios. Amarfanhei-os. As piores horas eram justamente aquelas. Acordava. E então? Então era preciso prosseguir vivendo e de um certo modo recomeçar tudo. Depois, as coisas chegavam a melhorar tanto que eu protelava ao máximo o instante de ir dormir. Mas de manhã, quando já me afeiçoava à cama, era penoso demais deixá-la. Enrodilhada nas cobertas, sentia-me irresponsável como um feto. Arrancar-me dali era sempre um ato de violência. E além de tudo, já não era manhã, entardecia. Se ao menos minha mãe parasse um pouco de escrever, se descansasse por um minuto que fosse aquela máquina implacável.

Revolvi a gaveta na esperança de encontrar um tubo que tia Graciana me emprestara, o rótulo cheio de promessas maravilhosas, pronto alívio de dores, nevralgias, resfriados... Não o encontrei. Na antiga desordem, apenas os objetos de sempre: o isqueiro que não fazia fogo, a piteira chinesa, uma pasta com retratos, um caderno que comprei para nele começar um diário e duas cartas de Fernando, que tinham escapado de dentro do caderno. Nem eram cartas mas bilhetes, escritos apressadamente. Abri o primeiro. A letra densa, firme: "Raíza, não fique triste. Foi mais um instante de abandono do que de amor. Meu carneirinho tonto, amarre a fita no pescoço e venha já me ver".

Tinha sido há três meses. Fui entrando pelo apartamento adentro, com duas latas de tinta debaixo do braço, ia pintar o seu quarto de azul-claro, estava escrito no anúncio que era facílimo pintar qualquer cômodo com aquela tinta, estava escrito. Começaria a trabalhar bem cedo. Quando ele voltasse à noite, já encontraria tudo pintado. Uma surpresa. E fui eu quem a teve quando resolvi entrar sem bater. Os dois ainda estavam deitados, fumando. A conversa frouxa. A carne frouxa. Marfa foi a primeira a sorrir. Então Fernando também sorriu.

Guardei o bilhete dentro do livro, numa página marcada com uma flor seca. Havia uma data escrita a tinta numa das pétalas: quinze de maio. Que significava aquela data? E quem guardara aquela flor ali? Sacudi Marfa:

— Você sabe o que aconteceu no dia quinze de maio? Hein? Responda!

Ela gemeu sob o lençol.

— Não tenho a menor ideia, compreende? Não atormenta...

Inclinei-me sobre ela e aproximei a brasa do cigarro de seu braço. Quando a penugem escura se contraiu como um bicho, ela encolheu bruscamente o braço. Descobriu o rosto.

— Raíza, você me queimou!

Senti a boca amarga. Esmaguei o cigarro no cinzeiro até vê-lo engolir a própria brasa.

— Foi sem querer. Veja se dorme — acrescentei limpando minha testa úmida de suor. — Se quiser, tia Graciana telefona avisando o pensionato que você não pode ir hoje, que está doente.

— Doentíssima. E que em seguida me matei — sussurrou ela em meio de um bocejo. — Sabe, Raíza, descobri outro dia que a gente só se mata por causa dos outros, para fazer efeito, dar reação, compreende? Se não houvesse ninguém em volta para sentir piedade, remorso e etecetera e tal, a gente não se matava nunca. Então descobri um jeito ótimo, me matar e continuar vivendo. Largo meus sapatos e minha roupa na beira do rio, mando cartas e desapareço.

— Para voltar em seguida. A gente sempre volta.

Ela fechou os olhos. Seus traços então se suavizaram e uma certa beleza chegou a aflorar em sua face. Ali estava ela recortada contra a brancura do lençol, um braço nu pendendo para fora da cama, o outro completamente coberto como se tivesse sido amputado na altura do ombro pela tesourinha de tio Samuel: a Dama de Paus.

— Você não visitou mais seu pai? Hein, Marfa?

— Tenho nojo daquele sanatório, compreende?

Levantei-me e escancarei as janelas. Um raio de sol varou o quarto. O azul do céu era tão vivo que tive vontade de gritar. Eu era jovem e tinha o sol e tinha Fernando, Ah, era bom

23

viver com a cara afundada na vida, sem perder nada, nada. E amar como os bichos amam, naturalmente, sem complicações. *Amar, amar sempre!* pregara Santo Antônio, certa vez Fernando falara nisso mas na altura do *Contudo, vede bem o que ides amar*, nessa altura ele fizera uma ligeira alteração no pensamento do santo: "Não importa o objeto do amor, aquilo que a gente venha a amar", disse ele carregando nos *rr, amarr.* "A forma não interessa, o que interessa é a essência, é entregar-se com a força e a coragem — principalmente com a coragem — de substituir esse objeto do amor quando chegar a hora. Duração eterna, laços indissolúveis e outras coisas igualmente melancólicas ficam para as personagens dos livros da sua mãe", acrescentou ele com um sorriso. "Umas mulheres tão maravilhosas... Alimentam-se de mel e orvalho, são possuídas nos bosques por uns homens mais maravilhosos ainda, tudo assim tão nobre, tão espiritual. Sei, mas a gente também tem um tubo digestivo."

As personagens da minha mãe. Os jovens tinham sempre um pouco de André nos maxilares apertados, na paixão do olhar, tão contidos e graves, de uma gravidade absurda amordaçando os mais saudáveis impulsos. Ai! os quase padres, dez mil vezes piores do que os padres, todos com aquele ar de renúncia, autoflagelação... Por que eles teriam que ser assim?

Apoiei-me à janela. O calor. Por que tanto calor? Relaxei os músculos. O sangue circulava agora em mim como um rio soturno que chegava apenas até minha cintura. O resto do corpo, na faixa de sombra, era como se não existisse. Abri a boca para que o sol me penetrasse também como um rio, misturando-se ao outro que corria nas profundezas. Assim eu deveria amar, com a simplicidade com que me entregava agora ao sol, deixando-me levar sem resistência, mergulhada até os cabelos naquelas águas. E se isso era bom, onde estava o mal?

A brisa soprou mais forte. A camisola colou-se ao meu corpo. O mal. Sim, eu sabia muito bem onde ele estava, era aquela insegurança, aquela ansiedade, a sensação de areia movediça fugindo debaixo dos pés. Tinha Fernando mas queria André, ou melhor, nem Fernando eu tinha, que Fernando era casado, pior do que casado, era livre, o homem mais livre do mundo, podia ter vinte mil esposas e vinte mil filhos, como os patriarcas bíblicos. E continuava livre, "O que interessa é amarr!". E aquele *r* que vinha como que de rastros pela garganta.

Fechei os olhos. Através das minhas pálpebras o céu ficou vermelho, com pequeninos círculos acesos brotando do fundo incendiado. Alguns círculos cresceram até cobrir os outros nos seus giros atrozes, acelerando-se cada vez mais o ritmo das rodas de fogo. Na vizinhança, um piano atacou com veemência *A Viúva Alegre*. O baile! As saias vermelhas devoravam umas às outras num rodopio desesperado, rodando à procura de alguma coisa. O que elas procuravam? Apertei mais os olhos. As rodas então estilhaçaram-se em milhares de saias de viúvas alegríssimas: a de cabeleira ruiva envenenou o marido com gás. Aquela de seios cor-de-rosa usou arsênico nas torradas com mel. A de sapatos vermelhos pôs veneno de rato no suco de morangos... E ao som do piano tocado pelo Diabo, um Diabo de sorriso igual ao de Fernando, abriam-se as saias como cogumelos venenosos até que o céu inteiro ficou um cogumelo, Depressa, mais depressa, o que importa é amar!...

Deixei pender a cabeça para o peito. Cruzei os braços. E senti-me mais desligada da terra do que um anjo louro e corrompido como o Anjo de Fernando: nem jovem nem velho, nem feio nem bonito, nem bom nem mau, nem fêmea nem macho — um ser neutro, tomando suco de laranja.

Mas eu era um anjo definido. Inútil esconder-me como Caim, detrás das touceiras. "O que fizeste? O que fizeste?", perguntava o Senhor já rouco de tanto gritar. Nem havia no mundo touceiras suficientes para esconder tanta gente em pecado. Melhor apresentar-se com humildade, Fiz o que pude, meu Deus. É pouco, eu sei, mas a gente pode tão pouco, não é mesmo? Pouquíssimo.

Afastei-me da janela e fiquei um instante imóvel em meio do quarto esbraseado. Comprimi os olhos nas palmas das mãos. O quarto foi-se apagando. Voltei-me então para o espelho. Há pouco, sentira-me fulgurante debaixo do sol. E eis que qualquer coisa apagara-se em mim. Achei que antigamente meu cabelo era mais dourado.

— Não tenho luz própria.

— Ninguém tem — disse Marfa levantando-se molemente e espiando debaixo da cama para ver se encontrava as calças do pijama. — Desapareceram, compreende?

II

O cravo vermelho pendia sobre a borda do copo, a corola
fatigada como uma cabeça procurando apoio. Devia ter o
cabo quebrado, caso contrário Dionísia não o teria colocado ali. As flores de cabo curto e os botões anêmicos eram
distribuídos entre o quarto de tia Graciana e o meu. Os per-
feitos iam para o escritório da minha mãe.
Respinguei-lhe um pouco d'água na corola. Mas foi inútil,
o cravo desmaiara e nunca mais voltaria a si. Molhei meus
pulsos. Eu também me sentia entorpecida em meio da tarde
que estalava ao sol. Até o silêncio era quente, um silêncio de
boca aberta e narinas dilatadas, aninhando-se nos cantos
de sombra ou debaixo dos móveis como um animal encalo-
rado. Duas moscas entraram pela janela e iniciaram em redor do cravo um voo obumbrado, sem nenhuma imaginação.
Por onde andará André? Rezando? Rezando ou mergulhado naquelas meditações que não acabavam mais, fechado entre quatro paredes, os olhos fechados, as mãos tão fortemente
entrelaçadas que as pontas dos dedos ficavam exangues. Ele
tinha medo. Ele também tinha medo. Parecia tão seguro de

sua fé mas tinha medo. Medo de quê? Do pecado, decerto, todos eles tinham medo do pecado. Mas que pecado?...

Arranquei os sapatos, as calças compridas e fiquei a olhar para minhas pernas. "Você parece um pão quente saindo do forno, tão dourado, tão brilhante", Fernando me dissera. Gostava de mim principalmente porque eu era jovem. Gostava de minha mãe porque ela não era mais jovem. E numa noite de disponibilidade, seria capaz de amar até tia Graciana se ela lhe passasse ao alcance da mão. O cínico. Mas havia naquele cinismo tamanha naturalidade que eu me surpreendia a pensar se a malícia não estaria exclusivamente em mim. "Você anda maliciosa", observou ele um dia. "É ver um jesuíta..." Estávamos estendidos na praia, lado a lado. Uma gaivota passou sobre nós num voo brando, completamente inocente visto assim de longe. Mas na curva ávida do pescoço, pude adivinhar toda a malignidade da sua expressão em plena pesca. Meus dedos cavavam a areia e embora sentissem uma obscura náusea por aquele fundo pastoso, iam descendo cada vez mais. A voz de Fernando misturava-se à do mar. Dizia que os da minha geração pareciam já ter-se libertado da influência do cristianismo com todos os seus medos de Deus, do Diabo, das assombrações, de coisas assim. Eu não. "Você parece pertencer à geração da sua tia, amor. Aquela tia das essências. Vamos, meu carneirinho, fique bem à vontade que depois a gente morre e não vai para o inferno como ensinaram no catecismo. E mesmo que exista o inferno ou equivalentes, se você me amar bastante, será absolvida."

Calou-se e só ficou o mar indo e vindo com um jeito fatigado de quem enrouqueceu de tanto falar. Afundei mais a mão no buraco de areia. A gaivota prosseguia voando em círculos rasos, tentando pilhar algum peixe. Quis então falar-lhe sobre aquele seu amigo mas não tive forças. Ele sorriria, cínico e ao mesmo tempo inocente. "Que é que tem o Anjo, amor? Um rapaz ótimo. Por que esse preconceito? Pois no tempo das mais requintadas civilizações já não era assim? Que é que tem isso de extraordinário? Se ele é feliz, não precisará da sua piedade. Se é infeliz, por que sua condenação? Viva, carneirinho, viva sem se preocupar com os outros. E nada de tomar esse ar de renúncia, há uma porção de gente que já está renunciando por nós, não precisamos aumentar essas fileiras." A gaivota afundou em linha reta numa onda e subiu de novo levando no bico um peixe que brilhou ao sol como uma lâmina. Fernando, você não tem medo da morte? perguntei-lhe. Ele apanhou um punhado de areia e deixou-o cair devagar no meu peito. Sorriu. "Medo, não. Uma certa má vontade... Mas esqueça toda essa absurda importância da morte que seus padres inventaram, esqueça, amor. Esses padres sinistros. Não contentes de amargarem a vida com as piores ameaças, enrolaram os mortos em tantos panos pretos que só de pensar neles a gente pode cair no maior dos desânimos. A morte é castigo mas a vida também é, tudo é castigo, não? Uma maçada... Se eu fosse padre, minha igreja seria bem alegre, com santos rindo, roupagens claras, bastante luz, bastante ar, tudo no maior contentamento. Não é com vinagre que se pegam moscas, é com açúcar."

Contudo, eu o amava, se é que se podia chamar aquilo de amor. Seduzia-me seu sorriso. E o arquear meio ingênuo das sobrancelhas. E o olhar misteriosamente jovem, que só envelhecia quando ele se concentrava e pequeninas rugas abriam-se em leques profundos nos cantos dos seus olhos. Pois seduzia-me até o prenúncio dessa velhice com todo o seu prestígio de uma longa experiência. Sim, eu o amava mas sem nenhuma fé, com um amor que girava sem sentido como um pião vicioso, um pião que não quer parar porque pior ainda do que o movimento seria o repouso. Pior do que o desespero seria o tédio. Mas o que havia de melhor em mim voltava-se para André, as mãos ossudas e pálidas, os cabelos cortados rentes, como grama que cresce depressa demais. E o olhar dourado. Como era possível alguém ter o olhar assim dourado? Ele tinha pequeninas palhetas de ouro nas pupilas, ah, eu não seria cínica se André me amasse, tinha que me reservar para ele, devia haver qualquer coisa em mim que ainda não se perdera!

Olhei para as minhas mãos. Quando as tirei dos buracos abertos na areia, estavam completamente negras mas agora pareciam-me limpas como se nunca se tivessem sujado. Lancei um olhar ao espelho da mesa de toalete. Eu teria que procurar minha imagem em outro lugar, lá em meio das manchas do espelho do sótão e que há anos me guardava intacta, como num retrato.

Revolvi papéis e livros da minha mesa. Abri gavetas. Por onde andariam meus retratos? Era preciso mostrá-los a André, ele precisava me ver menina, nem o inimigo resiste ao retrato da infância. Ele tinha que me conhecer com aquela perplexidade, com aquela inconsciência diante do futuro escondido dentro da máquina fotográfica. Vi um retrato assim do meu pai: um menino débil e louro na sua roupa de marinheiro, a mão direita pousada na mesinha com uma toalha de franja e um vaso de flores em cima, a mão esquerda na cintura, os dedos graciosamente imobilizados pelo fotógrafo, "Vamos, olhe nesta direção!...". O olhar ainda limpo do rancor pela bem-amada que havia de traí-lo um dia, pela mãe falhando no momento em que não podia falhar, pelo amigo que não era amigo, por Deus que não apareceria para salvá-lo quando ele próprio se erguesse para ferir o próximo assim como foi ferido também. Os ídolos ainda estão inteiros. O menino então sorri e nem o inimigo mais feroz resistirá a esse sorriso de quem se oferece tão sem defesa.

André poderia se comover com o meu retrato de menina. E não recusaria o convite para irmos novamente ao salão de chá dos velhinhos, era uma vez três velhinhos que abriram um salão de chá. Tinha que ser esse o lugar escolhido para aquele nosso único encontro a sós. "Muitas vezes tenho vindo aqui fazer um lanche no intervalo das aulas. Não é agradável?", perguntou ele quando nos sentamos. "E veja que simpáticos os velhinhos, são irmãos, o mais moço é aquele que vem nos servir, o do meio é o caixa e o mais velho é pianista, ele já vai tocar suas valsinhas." Acendi um cigarro. Havia ordem demais em redor. E se eu fizesse um furo com a brasa do cigarro na toalha alvíssima? Pensei de repente em minha mãe naquela mesma cadeira que eu ocupava agora. Mamãe já esteve aqui com você, não esteve? perguntei. Ele baixou o olhar e pôs-se a fazer um barquinho com o guardanapo de papel. "Já esteve sim", respondeu depois de algum tempo. Achei-o de repente distante, formal. As mãos tinham abandonado o guardanapo e estavam entrelaçadas sobre a mesa. Você parece freira, eu disse. Freira é que vive com as mãos assim duras, essa posição ajuda a pessoa a se conter, parece que toda a energia é descarregada nas pontas dos dedos. Ele baixou a cabeça. "Foi para dizer isso que você quis me ver?" Tomei o conhaque e me animei. Uma certa alegria maliciosa ardeu em mim. Foi então que lhe perguntei se era assim também que ele tratava minha mãe no particular. "Que particular?", quis saber numa voz dilacerada. Ora, para onde você a leva quando não estão tomando chá, respondi e ele então se levantou. Perdi-o, pensei. E esse pensamento impeliu-me a prosseguir falando enquanto ele me olhava com uma cólera impotente. Tomei-lhe a mão: Vamos nós dois descer também aos infernos, hein, André? Você precisa dela, eu sei, aquela velha história de todo homem querer no fundo dormir com a mãe, não me oponho a Édipo. Mas veja em mim a irmã e serei Electra! Ele contraiu a boca. A cólera desaparecera para ceder lugar a uma expressão de dolorido cansaço. Apanhou a pasta, a capa e saiu sem se voltar. Fiquei só. "Não é lindo esse despertar nos bosques de Viena?", perguntou-me o velhinho apontando para o irmão pianista já nos primeiros acordes da valsa. Pedi-lhe que enchesse novamente meu cálice. Como é que eu posso saber? Nunca estive em Viena, respondi. O senhor já esteve lá? Como é que a gente pode saber? Ele desviou para o chão o olhar cinzento e afastou-se de cabeça baixa, abraçado à bandeja.

André precisava me ver menina naquele retrato abraçada a um gato. Voltaríamos ao mesmo salão de chá dos velhinhos músicos. E quando um deles viesse servir eu lhe diria que não é preciso mesmo ir aos bosques vienenses porque mais convincente do que o canto dos pássaros era a música imitando os pássaros. O velhinho ficaria satisfeito e quando André tomasse minha mão entre as suas eu lhe pediria para ser meu namorado. Nunca tive um namorado, André. Quer ser meu namorado?

Fiquei a olhar as duas moscas que continuavam girando em torno do cravo moribundo. O voo prosseguia pesado, como se o calor as cansasse. Afugentei-as, vão trabalhar vocês duas que eu preciso trabalhar também! resolvi aprumando-me na cadeira. Enxuguei a testa úmida. *Calor, caloris*, da terceira declinação. Terceira? Encolhi os ombros, não, não tinha certeza, sacava apenas como se devesse responder a alguém. Mas André sabia, André lia até em latim, um sábio. Um sábio, murmurei distraidamente enquanto folheava os originais que Marfa traduzira. A revisão era sempre minha. Marfa traduzia bem, mas era preciso rever com cuidado porque de vez em quando ela carregava demais no tom de um ou outro impropério que porventura a personagem deixava escapar. "O palavrão tem que estourar na hora certa", disse-me ela. Mas é uma senhora inglesa que está falando! eu ponderei. Marfa irritou-se. "A cadela. Pois será preciso ensiná-la a não ser tão covarde."

Inclinei-me sobre as folhas batidas a máquina. Aparar as arestas. Pontuar. Pentear, enfim, a história da moça que nessa altura ainda não sabia se devia ou não fugir com o herói. Mas quem se interessa por isso? pensei recostando-me no espaldar da cadeira. Havia heróis em excesso nos livros, virgens e heróis capazes de resistir às mais duras provas. E eu não resistia sequer ao calor.

O calor ajudava a desfibrar. Melhor aceitá-lo então como um colaboracionista. Sou de natureza contemplativa, eis o que os desfibrados deviam logo de início esclarecer. Nessa classificação há qualquer coisa de misterioso e como o mistério é sempre respeitado, as pessoas em redor deixariam de investir. Sou de natureza contemplativa, minha mãe. Não exija muito de uma criatura que é capaz de ficar horas e horas contemplando duas moscas, um cravo murcho, uma réstia de sol.

Baixei o olhar para o chão. Já não era uma réstia mas um tapete de sol, um tapete vivo, feito de átomos de pó em suspensão e que brilhavam no espaço como pequenos sóis. Assim que entravam na zona de sombra, desapareciam completamente como se nunca tivessem existido antes, mas agora estavam no apogeu. Então corri até a janela e fechei a cortina. Desapareceram todos. Podia adivinhar na penumbra a dança desesperada dos pequenos sóis sem luz.

Senti o sangue golpear-me as fontes com uma violência que me fez fechar os olhos. Amanhã, amanhã que hoje era tarde demais para começar qualquer coisa. Hoje a vida já estava prejudicada. Mas amanhã eu acordaria bem cedo, como noutros tempos, e abriria o piano com simplicidade, como se não tivesse havido nenhuma interrupção. E quando Fernando me procurasse eu diria que não devíamos nos encontrar nunca mais, amo outro homem. Ele teria aquele seu risinho. "Quem?" André, eu responderia. O quase padre discípulo da mamãe. Ele não me ama mas isso não importa, o importante é amar!

Saí para o corredor. Tia Graciana abriu a porta do quarto.

— Raíza, foi você que gemeu?

Tapei a boca com a mão. Gemi?

— Não, que ideia!

— Então foi o vento. Mas não está ventando...

— Não está ventando — eu repeti no mesmo tom perplexo. Tia Graciana deslizou os dedinhos gordos pela gola do roupão azul. Tinha o rosto todo besuntado de creme.

— Acordei hoje tão indisposta, olha aí, ainda estou de camisola — desculpou-se abrindo ligeiramente o roupão e deixando entrever uma bata de gaze desbotada.

— A enxaqueca?

— Talvez... Mas entre, meu bem, entre. E não repare, o quarto está em desordem, estou lidando com minhas costuras.

Ela gostava de fazer-se de doente para poder ficar fechada naquele seu mundo silencioso e escuro, indo e vindo em meio dos dourados já gastos da mobília, entretida na reforma de uma blusa a pender do manequim, lidando com os pequeninos frascos de perfume.

Sentei-me na poltroninha dourada. Apesar de estar atulhado de móveis e bibelôs, aquele cômodo ainda era o mais fresco da casa, embora houvesse nesse frescor um pouco da umidade doentia de uma velha mala que ficou muito tempo fechada.

— Você está picante assim só de calcinha e blusa tão transparente — disse ela dando um tabefe na minha perna. Teve um risinho afetado. — Também, com este calor, não é mesmo? Só que Patrícia não gostaria nada de vê-la desse jeito.

— Não gostaria que André visse.

— Lógico, místico como ele é, não convém mesmo. Que flor de moço!

O lenço lilás que ela trazia amarrado na cabeça, mal escondia os rolinhos do cabelo pintado e ralo. Tampouco a máscara de creme disfarçava as rugas que se ramificavam pelo rosto, mais profundas em redor dos olhos.

— Esse creme é fórmula sua, titia?

— Mais ou menos... Depois de uma certa idade a gente precisa caprichar nos cosméticos. Mas não repare em mim, estou horrível.

— Ah, titia, você ainda está tão moça, tão viçosa. Quantos anos mesmo?

— Sabe que não me lembro? Engraçado, esqueci completamente minha idade, você acredita nisso?

— Acredito, sim. Em todo o caso, não parece tão mais velha do que minha mãe. Seu olhar é mais jovial, sua pele é mais brilhante.

Ela inclinou a cabeça para o ombro. Se tivesse um leque aberto na mão, haveria de se esconder atrás dele. Sorriu, excitada.

— Ah, Raíza... — E correu a fechar a cortina. — Muita luz, não?

Era gorda e atarracada mas como tinha mãos e pés muito pequenos, considerava-se miudinha e frágil. Com gestos melífluos, tentava agora unir as duas pontas do que restava da cortina. Não fossem algumas estrias rosadas nas pregas mais fundas e ninguém poderia saber sequer de que cor tinha sido aquele veludo. Os rasgões maiores, cerzidos com mimosos pontinhos cor-de-rosa, destacavam-se fortemente sobre o pano de um tom indefinível. Quanto aos rasgões menores, naturalmente ela esperava que esses aumentassem para então tratar de consertá-los, como já fizera com os outros. Na última tentativa feita por minha mãe para que a cortina fosse lavada ou substituída, tia Graciana resistira com certa energia: "Quanto menos a gente mexe, mais elas duram, você sabe como são essas coisas". A voz da minha mãe era branda. Mas gélida. "Tudo isso está-se despencando sob o peso do pó, Graciana. Não sei mesmo como você ainda consegue respirar aqui dentro." Tia Graciana então choramingou, desconsolada: "É a pátina do tempo, meu bem. Não se esqueça de que antigamente as coisas duravam toda a vida...".

— No verão, prefiro os ambientes mais escuros — disse ela sentando-se ao meu lado. Estava agora perfeitamente à vontade na semiobscuridade rosada. — Não ficou melhor assim?

Afundei a cabeça na almofada. Os perfumes autênticos há muito já tinham desaparecido dos frascos de cristal na mesa de toalete. A Maria Antonieta de *biscuit* já tinha perdido a mão que segurava uma flor. O móvel dos cálices rosados perdera toda a graça assim espetado no meio do quarto e quanto ao grande leque de varetas de marfim, com uma vaga paisagem pintada na seda, estava mais exangue do que um cadáver no seu estojo de veludo lilás. Mas objetos e móveis pareciam não ter tomado consciência de que estavam fora de moda. E permaneciam fiéis como os adornos da Bela Adormecida sob o vidro do esquife: uma Bela Adormecida que sorria ainda como se o tempo, apenas o tempo tivesse passado. E não ela.

Abri a caixa de porcelana com miosótis na tampa. Os bombons de tia Graciana pareciam sempre os mesmos, com aquele remoto cheiro de mofo a se desprender da caixa. Lembrei-me de Marfa entrando na ponta dos pés para roubá-los enquanto eu esperava lá fora.

— Este é o licor — segredou tia Graciana. — Sei que você gosta dos de licor...

— Estou fumando, depois! — apressei-me em dizer. Soprei a fumaça para o lustre. Os pingentes de cristal pendiam como lágrimas turvas. — Gosto tanto deste seu quarto, titia.

— É mesmo? — fez ela inclinando-se para mim. Baixou o tom de voz: — Pena sua mãe não pensar como você, ainda ontem veio me falar novamente que eu devia mudar as cortinas, que me ajudaria a comprar o tecido...

— Mas por que mudá-las? São lindas.

— Você acha, não é? Bem, concordo que estão mesmo um pouco descoradas, mas se mudá-las terei que trocar também todos os panos das cadeiras, é lógico, ficaria chocante um pano novo ao lado destes outros.

Suspirou sentidamente. Em seguida, tirou um bombom, mordiscou-o de leve e com um gesto distraído, voltou a colocá-lo dentro da caixa.

— É que essas coisas não têm para minha mãe o significado que têm para você.

— De um certo modo é bem como você diz — murmurou ela apanhando o cestinho de costura. — Patrícia não viveu quase nesse meio em que eu vivi, você sabe, passou a adolescência toda fechada no colégio, só ia para casa nas férias e assim mesmo frequentava pouco, não era como eu e Guilene que íamos a toda parte. Casou-se cedo, foi morar longe, uma vida difícil...

O dedal dourado caiu-lhe do dedo. Recolocou-o e prosseguiu costurando como se receasse ferir o tecido com a agulha. Passei as pontas dos dedos na tampa de miosótis. As pétalas eriçadas eram agudas como espinhos.

— Você não tinha uma caixa com um Pierrô na tampa?

— Como você se lembra? Tenho ainda essa caixa, uma caixa finíssima, presente de um moço que quis casar comigo, o Melcíades. Os pretendentes que eu tive!... Mamãe comprava nossos vestidos na Madame Voiska, famosíssima naquele tempo, uma russa, princesa ou espiã, a história não ficou completamente esclarecida. Nunca fui bonita como sua mãe ou Guilene, mas quando coincidia de irmos juntas a um baile, formava-se uma verdadeira corte à minha volta.

— Ela não fazia sucesso?

— Quem? Patrícia? Bom, Pat era considerada uma verdadeira beleza, você sabe, mas era muito menina ainda, é grande a diferença de idade entre nós. E a verdade é que ela não se entusiasmava nunca, preferia ler, estudar, sempre foi reservada demais. E Guilene, pobrezinha, não podia mesmo dançar por causa do coração. Ora, é lógico que os rapazes preferem a companhia de moças despreocupadas, que acham graça quando eles dizem suas tolices — acrescentou, soltando uma risadinha cascateante, como se tivesse se lembrado de alguma. — Só eu dançava até o fim da festa enquanto mamãe ficava me olhando de longe e se abanando com o leque, encantada como se fosse ela que estivesse dançando e não eu.

Fez uma pausa. Segurava a agulha como se prendesse uma borboleta pelas asas.

— E mamãe não tinha ciúmes?

Ela suspirou nostálgica.

— Estou me lembrando agora de Guilene, tão doentinha com aquelas unhas arroxeadas e respiração tão aflita! Morreu no inverno, deitou a cabeça no peito de papai e morreu...

— Como um passarinho.

— Como um passarinho. Não havia flores em parte alguma, tinha sido um inverno terrível aquele, a geada matou tudo. Foi quando de repente, um pouco antes de sair o caixão, um mensageiro misterioso trouxe uma enorme braçada de lírios, nunca se viram lírios tão lindos. Quem mandou? Quem?!

Pela quinta ou sexta vez ela me contava esse mesmo episódio. Era preciso repetir a mesma pergunta:

— Mas ela não tinha algum namorado? Um namorado que não quis aparecer no enterro...

Tia Graciana encarou-me. Tinha a expressão igual à do Pierrô branco e tonto na tampa da antiga caixa de chocolates.

— Não, Raíza, ela não tinha ninguém assim de especial e nenhum dos nossos conhecidos teria mandado flores sem ao menos um cartão. Depois, de onde teriam vindo lírios tão viçosos quando não havia flor em nenhum jardim?

— Um mistério, titia.

Ela apertou os olhos. Duas lágrimas correram atropeladamente pela crosta de creme, turvas como os pingentes do lustre.

— Mas a vida da nossa família está assim toda entremeada de mistérios. O desbarate das nossas finanças foi também uma dessas coisas que ninguém até hoje conseguiu explicar. Começou depois da morte de Guilene, sua mãe já estava casada e morava com seu pai na nossa antiga casa, ele ainda tinha a farmácia. Foi quando descobrimos, de um dia para o outro, que estávamos pobres.

Calou-se apertando a boca. O lábio superior, demasiado curto, mal cobria os dentinhos salientes, com as pontas sempre de fora e que davam à sua fisionomia uma certa graça de criança desatenta. Era como se naquele instante tivesse recebido a notícia toda entrecortada pela gagueira do pai: "Es... es... tamos a... a... arruinados!".

Bocejei. Mas continuei ali por preguiça, ouvindo mais uma vez aquelas histórias que já conhecia de cor. Imaginei o avô de roupa preta e semblante descaído, como dizia a Bíblia que ele costumava ler para a família. Descaiu-lhe o semblante e ele viu que estava pobre. *E viu que isso não era bom.*

— Eu faço ideia.

— Ficamos completamente desnorteados. E papai já doente, mamãe e eu sem entendermos nada de negócios! Só Patrícia parecia raciocinar, só ela não perdeu a cabeça, sempre tão segura...

— Tão fria.

— Fria? Sim, um pouco fria, talvez, diferente de nós que sempre fomos muito emotivos. O nosso bisavô, o Marquês de Aragão, era mais sensível do que uma moça, tamanha delicadeza de sentimentos! Mas não quero censurá-la por isso, é lógico, Patrícia é uma flor... Não se pode negar que teve em certas ocasiões um comportamento meio esquisito. Quando se casou, por exemplo, já falei nisso, não? Nem sabíamos de nada quando veio anunciar que marcara o casamento para o próximo mês. Casamento com quem? perguntou minha mãe no maior susto, sabíamos que ela se encontrava com Giancarlo mas como podíamos adivinhar que as coisas estavam nesse ponto? Papai quase teve um ataque. E mamãe começou a chorar, imagine, tudo assim tão inesperado, não usava uma filha anunciar o noivado desse jeito. Bem que papai quis consertar a situação pedindo a ela que esperasse um pouco até nos acostumarmos com a ideia, o moço é simpático, sem dúvida, Pat, mas é um estrangeiro. Você sabe perfeitamente que na nossa família as coisas são feitas num outro sistema, disse meu pai. Patrícia então examinou-o como costuma examinar essa cortina e respondeu que já estava na hora de mudar esse sistema.

O estrangeiro. E ele não fora outra coisa em toda sua vida: um estrangeiro amedrontado, sem bagagem e sem ambição. Teria sido bom farmacêutico? Provavelmente nem isso, era tão vago, tão sonhador, impossível imaginá-lo eficiente em meio dos boiões e pozinhos brancos. Pensei nas caixas e nos almanaques que ele me trazia sempre, uns vistosos almanaques que anunciavam remédios em meio de historietas e horóscopos. Como era bom procurar com ele, nos labirintos dos quebra-cabeças, onde estaria o caçador ou o cachorro, tínhamos que encontrá-los nas florestas, nos rios, nas nuvens... Era ele quem primeiro descobria a cara do caçador bigodudo, disfarçado num tronco de árvore. Ou o focinho do cachorro em meio dos pedregulhos. Quando eu perdia a paciência, ele sugeria que se virasse o desenho de cabeça para baixo, "E agora Raíza, não percebe nada de anormal naquela montanha?...".

Tia Graciana ainda falava sobre o episódio do casamento mas eu já não conseguia ouvi-la. Lembrava-me agora, com uma nitidez dolorida, da discussão que certa madrugada surpreendi entre eles, quando acordei com os soluços dela: "Giancarlo, estou exausta, está me ouvindo? Estou exausta...". Ele respondeu engroladamente, não pude entender o que dizia. Fechou-se uma porta. As vozes então ficaram confusas mas havia nelas tamanho desespero que fui tomada de pânico e desatei a chorar. Tive pena dele. E só com ele me preocupei nos dias que se seguiram, quando não o vi mais sair de casa. Nem me presentear com aquelas caixinhas e anúncios de remédios que eu costumava colecionar. Refugiava-se no sótão, limpando os livros. E nas raras vezes que saía, voltava tão sonolento, tão estranho que eu mesma não tinha coragem de me aproximar. Ficava a vigiá-lo de longe até que a sonolência passasse e ele pudesse me reconhecer, "Raíza, venha cá...". Tive o pressentimento de que aquela discussão ligava-se à farmácia. Papai, e a farmácia, o que foi feito da farmácia? perguntei-lhe um dia. Ele cheirava a hortelã. E sorria vagamente, como se estivesse mergulhado num sonho. Acariciou meus cabelos e encostou-se à parede, estava sentado junto da parede, no rolo de um tapete que Dionísia levara para o sótão. Precisei repetir a pergunta, E a farmácia? Voltou-lhe então a mesma expressão desafiante que tinha quando me propunha os enigmas: "Procure em mim, Raíza, ela está em mim, vamos, você vai descobrir sozinha, pode estar nas minhas mãos, nos meus sapatos, procure...".

— Mas não estou querendo julgar ninguém, prosseguiu tia Graciana enquanto remexia a cestinha de costura. Examinou o agulheiro. Nas minhas palavras não vai nenhuma crítica, é lógico. Pat é uma criatura rara!

Levantei-me. A máquina de escrever silenciara, André já devia ter chegado. E enquanto o chá amornava nas xícaras, ela permitia que ele se enrodilhasse aos seus pés, deslumbrado: a mestra e o discípulo. Conversavam. Sobre o que conversavam? Temas altos, naturalmente. Depois do chá, o cigarro fumado sem pressa, tudo naquela aura de entendimento, as palavras puras, os silêncios puros. Pureza total.

— Vou lecionar piano.

— Vai mesmo? Ótimo — murmurou tia Graciana contraindo graciosamente o labiozinho curto. — Sua mãe vai ficar satisfeita com isso.

— Desde que o aluno não seja ele.

O labiozinho teve um estremecimento.

— Ele quem, Raíza? Ele quem?

— André. Quem havia de ser?

Ela encarou-me.

— Mas, Raíza, como é que você pode insinuar uma coisa dessas?! Patrícia é corretíssima. Ela o considera um filho!

Abracei-a. Cheirava a jasmim que apodreceu no álcool.

— Eu estava brincando, titia.

— Nem pensar, Raíza, nem pensar!

Abri um frasco de essência esverdinhada. Agora era ela quem estava pensando.

— Essa essência é nova?

Ela franziu a testa. Persistia no fundo do seu olhar a interrogação. Duvidava do seu ídolo. A Pat?...

— Inventei essa fórmula na semana passada, vai-se chamar Algumas Flores do Brasil, você gosta do nome? Ficaria mais fino em francês mas se as flores são do Brasil...

Parecia desatenta e infeliz. Dirigi-me à porta. Antes, toquei na Maria Antonieta de mão quebrada.

— Uma beleza esta peça.

Ela animou-se um pouco:

— Pois quando você casar, será o meu presente. A mãozinha deve estar guardada na gaveta, está segurando uma flor...

— Um botão de rosa.

41

— Exatamente, um botão de rosa, como é que você se lembra?

Em lugar do rosto ele tinha uma rosa mas o perfume era de hortelã. Chamou-me tão insistentemente, Raíza, Raíza! Que é que ele queria dizer? E por que não disse?

— Sabe que até hoje me lembro do Simonian?

O labiozinho curto contraiu-se como se um cordel o tivesse puxado, obrigando-o a esconder os dentes.

— Ainda se lembra?

— Quando penso que vocês deviam estar agora casados... Ela não devia ter interferido, titia, ela não devia ter interferido.

— Mas ela não fez nada, Raíza.

— Concordo, ela não fez nada. Não é uma maneira também de fazer?

Pequeninas gotas de suor leitoso escorriam-lhe pelas gretas da máscara de creme. Os cantos dos olhos caídos — os olhos de Pierrô — pareciam na iminência de escorrer com o suor.

— Simonian era uma flor. Mas decerto nós não teríamos sido felizes, havia tamanha diferença entre nós.

— Na opinião de minha mãe?

Ela não me respondeu. Não tive mais forças para encará-la. Mas era preciso?... Titia, escuta, não quis feri-la, pensei em dizer-lhe. Deixei-a imóvel e assustada dentro da sua concha. Fui para a sala. Ficaram mais nítidas as vozes no escritório. Assim mesmo, não podia entender o que ambos diziam. Ouvi quando minha mãe deu uma risada, ah, que estranho, ela sabia rir... E se eu entrasse assim seminua pelo escritório adentro, Perdão, perdão, eu não sabia que André estava aqui!

Minha mãe me lançaria um olhar de cólera fria, era uma raridade aquele olhar, só suas personagens conseguiam olhar igual. Quanto a André, não teria tempo sequer de desviar-se das minhas pernas. E então? Sim, seria divertido, sem dúvida, mas vulgar. Ele acharia graça mas eu o queria sério, macerado de desejo como um santo, como aquele São Sebastião da minha infância, de uma beleza de homem, como observava Dionísia meio escandalizada diante da imagem do santo de torso nu, crivado de flechas.

Caminhei na ponta dos pés até o piano. Dali já não podia ouvir o ruído secreto das vozes e esse silêncio era mais excitante ainda. Apanhei a pasta que ele deixara na poltrona. Tinha livros em meio de papéis com anotações feitas nervosamente, numa letra irregular. Examinei um pequeno caderno preto, de capa puída. Um diário? Só as últimas folhas estavam em branco. Havia uma frase entre aspas? "Os ouvidos do meu coração estão atentos. Abri-os, Senhor, e dizei à minha alma: Sou a tua salvação".

A letra atravessava a fronteira das linhas e pendia oblíqua, desamparada. Fixei-me nela. E pareceu-me de repente tão viva como um ser humano a se despencar sem socorro, André!...

No fundo da pasta encontrei um toco de lápis roído, ele roía lápis como roía as unhas. Eu te amo, escrevi na página em branco. Embaixo, tracei um *R*. Então fechei o caderno, meti-o na pasta e saí correndo, com a sensação de que alguém me vigiava. Fechei depressa a porta do quarto e voltei-me para o espelho onde uma moça ofegante e quase nua olhava-me estupidamente. Apanhei ao acaso uma saia. E embora o suor corresse pelo meu corpo, senti-me melhor enquanto me vestia.

III

Fernando acendeu um cigarro, ajeitou o travesseiro sob a nuca e voltou a olhar para o teto. Puxei o lençol até o queixo.

— Fernando...

— Hum?

— O que é que você vai fazer hoje?

— Daqui vou para o jornal. E depois vou para casa, Luísa convidou alguns amigos para a ceia.

— Uma festa?

— Não, amor, apenas um pequeno grupo que está em disponibilidade como nós. Essa obrigação de se passar um fim de ano divertido já está ficando um pesadelo, uma maçada. Se quiser ir também...

— Para ver você beijar sua mulher à meia-noite? Não, meu bem, tenho outro programa.

Fiquei à espera que ele perguntasse em seguida: que programa? Não perguntou. Eis aí uma pergunta que ele não faria. Tomei-lhe o cigarro. Ele então inclinou-se para apanhar o copo de uísque que deixara no chão. Bebeu devagar, fazendo girar com a ponta do dedo as pedrinhas de gelo. Em seguida, cruzou as mãos debaixo da cabeça e ficou imóvel, os olhos apertados devido à fumaça do cigarro meio adormecido no canto da boca.

Então me senti só. Completamente só. Para Fernando, aquele instante que sucedia ao amor era sempre um instante de paz. Mas para mim era a solidão que vinha nem sabia de onde, uma solidão que se misturava ao medo, Diga que me ama, Fernando! eu lhe implorara certa vez num instante assim igual, Diga que não vai me deixar, que não vai me deixar! Ele me acalmou beijando-me os olhos cheios de lágrimas, os cabelos, a boca, "Não chore mais, claro que te amo, claro".

Claro. Mas havia em suas palavras qualquer coisa de tão frágil! Eram palavras ocas, sem raiz, um pouco mais que eu as apertasse e se quebrariam como as bolas do pequenino pinheiro de Natal que tia Graciana armara na sala.

— Você não tem medo, Fernando?

— Medo de quê?

Não, não tinha. Fiquei a olhar o gesso em cima da cômoda. Era a cabeça de uma moça que ele amara e que morrera. Alguns meses antes, quando a garra da morte já a tinha bem segura, o Anjo pedira-lhe para posar. Teria sido por isso que o gesso adquirira aquela expressão? Havia tamanho desprendimento na sua fisionomia que assim na penumbra ela lembrava uma pétala branca, suspensa sobre a cômoda. Serena, mais do que serena, ausente, Germaine sorria tão perfeita quanto o silêncio. Contudo, naquele mesmo quarto e naquela mesma cama ela amara e tivera como eu seus momentos de prazer e de dor, brilhantes de lágrimas os olhos agora de gesso. E imaginar que um dia ela fizera as mesmas perguntas fatais: Jura que me ama? Que não vai me trair? Que não vai me deixar?

Foi miserável a última cena que armei ali mesmo, diante da face impassível de Germaine e da face dele igualmente impassível, as sobrancelhas um pouco contraídas, "Que é que você tem, amor? Por que é que está assim aflita?...". E o véu baixando cada vez mais denso, mais denso, já não era um véu, era um muro. E além do muro, lá longe, o piano fechado. E minha mãe mais longe ainda, podia ouvir apenas a máquina com suas batidas secas caindo no silêncio como pedregulhos. E André voltado para Deus. E Fernando voltado para o teto. Fernando, não me abandone! Não me abandone! Não tenho mais ninguém, Fernando, não tenho mais ninguém, solucei sentando-me no chão desgrenhada e nua. Ele continuava deitado, fumando, as mãos entrelaçadas sob a nuca, assim mesmo como estava agora. E começou a falar com brandura, os olhos um pouco apertados, como se os ferisse a luz. Disse que me queria muito, pelo menos naquele instante estava me amando e só o presente é válido. "Quanto ao resto... bem, meu carneirinho louro, não nos amarguemos com o que possa vir a acontecer, se é que vai acontecer." Disse ainda que tinha horror de planos, maquetes, neste lugar haverá uma praça, ali adiante, uma avenida... Não haveria nada depois. E mesmo que houvesse seria tão diferente do que se sonhou que acabaria uma decepção ver o sonho realizado. "O espontâneo pode ser o sinônimo do amor", disse ele estendendo a mão para mim. "No instante em que se começa a fazer os tais projetos é porque o amor já passou para ceder lugar a outra coisa. Quero que saiba, meu carneirinho, que não posso oferecer nada mais do que te ofereço agora. Posso me separar da minha mulher e dos meus filhos para nos casarmos, quer se casar comigo? Hein?... Mas isso também não significa esse *para sempre* que você tem o mau gosto de repetir. Já me casei umas quatro ou cinco vezes, esta seria a sexta ou sétima, nem sei!... É o que você quer? Não, não é, eu sei que não. Você quer ser amada como as heroínas dos livros da sua mãe. Quando na realidade o amor é tão simples... Veja-o como uma flor que nasce e que morre em seguida porque tem que morrer. Nada de querer guardar a flor dentro de um livro, não existe coisa mais triste no mundo do que fingir que há vida onde a vida acabou. Fica um amor com jeito desses passarinhos empalhados que havia nos escritórios dos nossos avós."

Os passarinhos empalhados. O que era feito da curva da asa? E do grito, que era feito do grito?

— No sótão da nossa antiga casa tinha um passarinho assim.

Fernando voltou-se.

— Que foi que você disse, meu bem?

— Na nossa antiga casa tinha um passarinho empalhado. Um dia, tio Samuel cortou-lhe as asas.

— Por que é que você lembrou disso agora?

— Tivemos uma conversa sobre passarinhos, lembra? Passarinhos empalhados...

Ele ligou o toca-discos que estava no chão.

— Tão tristes, não? — disse evasivamente e eu fiquei sem saber se ele se referia aos passarinhos ou aos discos que passou a examinar. Serviu-se de uísque. — Esse seu tio ainda mora naquela chácara?

— Foi para o sanatório, piorou. E a chácara não é mais chácara, minha mãe vendeu os fundos para uma serraria, só ficamos com a casa. Agora vai vender a casa, a minha querida casa com meu sótão e meu espelho... Eu gostava tanto quando o tio ainda morava lá com Julião, um preto coxo que cuidava dele. A poeira cobriu os móveis, as cortinas, os tapetes, a poeira cobriu tudo. Cobriu também os dois que passaram a fazer parte da casa como o assoalho ou o lustre. E agora minha mãe...

— Decerto ela precisa do dinheiro para pagar o sanatório, amor. Não será você, Marfa ou a tia dos perfuminhos que vai arcar com as despesas. A solução é ir comendo as relíquias.

— Ele vai morrer no sanatório.

— Ele já está morto.

Encostei o copo gelado na face. Fernando não poderia mesmo entender que, se todo o mundo afundasse, tio Samuel ainda continuaria pairando sobre as águas, recortando os mortos com sua tesourinha. Ele era o princípio e o fim. Inútil buscar sentido na tesoura que varava o dia e a noite criando e destruindo os bonecos de mãos dadas, feitos de jornal.

— Fernando, eu gostaria tanto que você acreditasse em Deus.

Ele acariciou meu queixo. E inclinou-se para colocar o disco. Agora eu desaparecera e em meu lugar ficara o piano. Debussy. Por onde eu fosse haveria de ouvir Debussy, Mozart, Beethoven, ele gostava de Debussy, minha mãe gostava de Mozart, minha tia gostava de Chopin, não, eu não tinha por onde escapar. Seria preciso fazer desaparecer a música da face da Terra para esquecer-me de que um dia eu também tinha tocado. Rebelara-me porque quisera tocar melhor ainda. Então, como castigo, fora condenada a ouvir até o fim dos meus dias alguém em redor tocar sempre melhor do que eu.

— Você não tocava isso? — perguntou ele fazendo girar o gelo dentro do copo.

Ele falava no passado, *tocava*. Era como se tudo tivesse mesmo acabado. E não estava? Pensei em Miss Gray inclinada sobre o teclado, sem poder desviar o olhar das minhas mãos que tocavam com uma precisão que estarrecia. Era para mim um espanto vê-las assim tão poderosas, livres como se tivessem sido decepadas. "Admirável, Raíza, admirável!", exclamava Miss Gray com a voz trêmula. E eu tremia também e prosseguia tocando, tocando e sentindo no rosto as lágrimas correrem misturadas ao suor. Deslumbrava-me o fato de não poder controlar meus dedos que se moviam como por efeito de um sortilégio. O orgulho me atordoou, embora no fundo do coração não visse mérito algum em tocar com aquelas mãos que não me pertenciam. Quando foi que ficaram sendo minhas? Não sei. Sei que um dia, de repente, as encontrei sem alento. Abri o piano, mil vezes abri o piano na esperança de repetir o milagre. E não aconteceu mais nada. Agora elas apenas executavam ordens, prisioneiras, mais medrosas do que ratos se debatendo na armadilha dos pulsos. Miss Gray não se conformava com a transformação, "Mas não é possível, que é que essa menina tem?!". E procurou ser paciente, à espera de que a crise passasse. Depois, exasperou-se, tão perplexa quanto os outros. Só minha mãe não se surpreendeu, "Passou como passou a adolescência", ouvi-a certa tarde dizer a Miss Gray que se confessava derrotada. Contudo, não se opôs a que eu contratasse Goldenberg, "É um excelente professor", disse apenas. E esperou, era horrível sabê-la esperando que Goldenberg também desistisse.

Cruzei as mãos sob a nuca. De tudo, restara apenas o hábito melancólico de cortar as unhas rentes. Se eu ao menos tivesse a certeza de que Miss Gray ainda vivia, perdida em qualquer canto do mundo, mas viva. Poderia chamá-la, recomeçaríamos...

— Fernando, tia Graciana vai me dar de presente de casamento uma Maria Antonieta de porcelana, aposto que você se casaria comigo se visse aquela Maria Antonieta sentada entre dois galgos, segurando uma florzinha.

— Um presente oportuno, logo teremos também nossa Revolução Francesa.

— E seremos todos fuzilados.

— Eu estarei dentro dela, amor. E vocês ficarão à margem. Fuzilados por quê? Nem isso... Vocês ficarão de lado, como sempre, olhando.

E por acaso você não é também um pequeno-burguês que apenas assiste? tive vontade de perguntar-lhe. Intelectual burguês. E então? Fechei os olhos, ah, uns farsantes todos com seus comportamentos tão falhos e ideias tão infalíveis. Fiquei ouvindo a música contar a história da catedral submersa no mar, uma antiga catedral encantada e que às vezes vinha até a tona por um curto instante. Os sons então subiam arfando como um ser vivo escorrendo água. E era belo ouvi-los tão lavados, tão limpos, triunfantes lá na crista da onda que sustinha as torres na altura do céu. Depois, aos poucos, do mesmo modo como subira, a catedral inteira ia afundando e voltava para as profundezas do mar. Lentamente a água cobria tudo. O órgão enrouquecia, os sinos se diluíam e da aparição restava apenas um som brilhante cada vez mais fraco, mais fraco... Ah! a vontade de agarrar a catedral pelos cabelos e fazê-la vir de novo à superfície, suster lá em cima a quase afogada toda verde de limo, mas respirando!

— Fico sem ar quando ouço essa música.

— Mas ela é tão repousante.

Em cima da cômoda, a cabeça de Germaine pairava inatingível. A suave Germaine. Precisou ter morrido para permanecer, ter morrido jovem e quando o amor de ambos tinha subido em plena glória, como a catedral. Soprei a fumaça na direção do gesso. Os olhos muito abertos não pestanejaram.

— Parece minha mãe.

Fernando seguiu a direção do meu olhar. Beijou de leve meu ombro.

— Sua mãe? E ela não falou mais em mim?

— Não. Ela fala só uma vez sobre um assunto. Depois, recolhe-se de novo ao seu mundo e lá fica a olhar os outros como essa sua Germaine olha para nós.

— Estive relendo seu último livro. Não é o meu gênero mas sem dúvida que é uma escritora fora do comum. Se não insistisse em ficar assim tão isolada naquele seu plano ideal...

— Ela não suporta gente como nós.

— Mas por quê, amor? Somos excelentes...

Pensei no meu pai a me chamar com insistência, Raíza. Raíza!... Era como se me perguntasse: "O que fizeste?". Tanta coisa ele poderia me dizer. Mas por que não dizia? Se encostasse o ouvido na corola, talvez ouvisse seu pensamento deslizando lá no fundo como a água da fonte que um dia brotou à sombra da figueira-brava, uma fontezinha tão escassa que eu tinha vontade às vezes de recolher a água que corria para devolver-lhe novamente. Foi num verão violento que acordei uma noite em sobressalto. Dionísia dormia na cama ao meu lado. Tive um pressentimento: a fonte! Levantei-me e saí correndo na escuridão, a camisola colada ao corpo, os pés descalços, teria secado? Quando cheguei junto das pedras vi que o débil fiozinho d'água tinha desa-

50

parecido. Meu coração se apertou de dor porque tive então a certeza de que meu pai ia morrer assim como a fonte, silenciosamente, no meio da noite. Caí de joelhos e revolvi a terra úmida. Em seguida, encostei a face no chão na esperança de ouvir ao menos o murmúrio da água correndo nas profundezas, se é que nas profundezas, perdida lá no escuro, ela ainda corria.

— Ele morreu logo em seguida.

Fernando pousou o copo. Trocou por outro o disco que chegara ao fim.

— O que foi que você disse?

Virei-me de bruços. Fim do ano. Os anos iam tombando e com eles os amores, um por um, com uma naturalidade natural demais.

— João Afonso gostava dessa valsa.

Nua ao lado de Fernando como já estivera ao lado de João Afonso, aquele João Afonso tão elegante, tão grisalho, tão casado e tão campeão de voleibol, principalmente campeão. Tinha um jeito de me pegar pela nuca que fazia lembrar meu pai, "E então, Raíza?". Dizia-se muito infeliz e quando eu lhe perguntava por que era tão infeliz assim, calava-se com ar de mistério. Só com o tempo é que fui percebendo que nele não havia mistério algum. Amava como jogava voleibol, tudo não passava de um jogo metódico, limpo: tinha o natural rodízio das jogadoras acompanhando o movimento dos ponteiros de um relógio. Quando uma jogadora — havia jogadoras em excesso — dava a volta completa na quadra, saía pela direita e em seu lugar entrava a reserva, automaticamente. Eu entrava nas terças e nos sábados, perfeita a colocação. Quando o deixei no meio do jogo ele ficou desnorteado, mas por pouco tempo porque quatro dias depois de termos rompido, encontrei-o num restaurante, jantando em companhia de uma decoradora que estava muito em moda. Pude ouvir, da minha mesa, o final de uma frase que ele me dissera certa vez e que agora repetia à moça: "E sinto-a escorrer como areia por entre meus dedos...". Ele se referia à vida e pela expressão da moça, concluí que antes do fim da noite ele não teria as mãos tão vazias assim. Tive então uma vontade obscura de chorar e ao mesmo tempo rir. Um equívoco. E que começara quando subi pela primeira vez ao seu apartamento para ver os seus troféus de prata. E eis que com dezesseis anos e oito meses apenas, pressenti que viriam outros equívocos: a busca, a conquista, a posse rápida e total na ânsia de enraizar o amor que de repente não é mais amor, é luxúria, luxúria que de repente não é mais luxúria, é farsa. Farsa que é medo, simplesmente medo da solidão mais difícil de suportar do que o peso do corpo a se abater sobre o meu.

Engoli as lágrimas e pude então rir ao me lembrar do Fabrízio que era estabanado quando enchia meu copo de vinho. "Você está linda de matar", ele dizia e eu pensei que cometeria muitos outros equívocos, sem dúvida, mas pelo menos mergulharia sem ilusões, enxergando bem o que havia no fundo. E esse fundo era como o olhar de Fabrízio, nele não havia absolutamente nada. Fabrízio Rodrigues, o Lili. Ensinou-me a nadar e a dançar com perfeição, nossa vida durante uma semana foi dividida entre o clube e a boate. Passada essa semana, ficou sem saber o que fazer comigo. Resolvi ajudá-lo para vê-lo de novo despreocupado, rindo com seus belos dentes num riso tão estupidamente satisfeito, que chegava a enternecer. Perguntei-lhe se tinha música em casa, podíamos dançar na intimidade, que tal? A larga cara iluminou-se, radiante: "Tenho uns discos lindos de matar!". Tudo para ele era lindo de matar, bom de matar, gostoso de matar... Tinha também uma lancha.

— Fernando, você conheceu o Fabrízio? O apelido dele era Lili. Fomos namorados.

Esperei que ele fizesse alguma pergunta. Não fez. Esvaziei o copo que lhe tirei da mão. A valsa francesa chegara ao fim mas a agulha insistia em prosseguir riscando obstinadamente o disco. Fabrízio também era assim obstinado. Quando não lhe faziam a vontade, zangava-se e zangado tinha a beleza de um cavalo selvagem, a franja espessa caindo-lhe na testa curta, as narinas acesas, Fabrízio, vamos ter um filho? Ele concordava, Ótimo, ótimo. Era de uma inconsciência total e só parecia menos parvo ao representar o parvo, exagerando com graça uma parvoíce que lhe era natural. Marfa ficou preocupada: "É bonito, compreende? Mas não é um tipo meio retardado?". Apresentei-o à minha mãe, Vamos nos casar, mamãe. Durante parte da noite ela ouviu num mutismo de pedra a verdadeira cascata de tolices que ele arquitetou com a intenção de impressioná-la. Até que não suportou mais: pretextando ter um trabalho urgente, pediu licença e fechou-se no escritório. Ele voltou-se para mim: "E daí? Saí-me bem?". Desatei a rir. Ela não poderia estar mais feliz, respondi oferecendo-lhe as rosquinhas que tia Graciana fizera para o chá. Ele tirou dez de uma só vez, enfiou uma rosquinha em cada dedo e ficou exibindo as mãos abertas, com as rosquinhas dependuradas como argolas, "Agora sou o rei da Bessarábia, olhem aí os meus anéis!". O labiozinho curto de tia Graciana contraiu-se nervosamente na tentativa do sorriso, "Seu noivo é tão espirituoso! Alegre, não?". Na despedida, ele me abraçou apertadamente: "Quer dizer que vamos mesmo nos casar?", exclamou agradavelmente surpreendido. Puxei-o pela gravata. Claro que não, meu amor. Brincadeira pura, a gente está apenas se divertindo um pouco.

Uma simples diversão enquanto ele vivia. Enquanto não chegava o domingo da corrida de lanchas. Como foi aquilo? Ele também não entendeu nada, nem mesmo quando o deitaram no caixão. "Mas como deixei a lancha se espatifar na amurada?" Eu também olhava, olhava e não conseguia sair do torpor em que caíra. Afinal, quem era aquele moço cinzento, opaco? Não o reconhecia. Morto, Fabrízio transformara-se num outro homem e esse homem eu nunca tinha visto. Não consegui chorar sequer, o que deixou Marfa irritada, "Mas vocês dormiam juntos, não?". E enquanto se assoava furiosamente, observou que, pelo visto, a única pessoa que ainda estimava aquele animal era ela.

— Ele era lindo de matar.

— Quem, amor?

— O Fabrízio, o Lili.

Fernando desligou o som. Bocejou abrindo os braços. E teve uma risadinha.

— O carneirinho já está fazendo seu balanço sentimental, não está? João não sei o quê, Lili, Diogo... Não vá se esquecer do Diogo, hein? Meu amigo, o Diogo. Uma verdadeira flor, como diria sua tiazinha.

Tomei-lhe o cigarro, o meu estava apagado. E debrucei-me sobre ele. Seu rosto era uma fascinante mistura de menino e de velho. Beijei-o. Fiquei feliz de repente.

— Diogo tinha umas tatuagens no braço.

— Tinha? Ah, mas que simpático! Eu também gostaria de ter tatuagens, você não acha bonito, amor? Um peito cheio de tatuagens...

Podia ser um *H* e podia ser um *K*. "É de uma mulher que amei", confessou-me. Perguntei-lhe o nome e ele sorriu: "Ora, Zazá, que importa que seja Helena ou Katarina se já me esqueci até das feições dela?...". Contou-me em seguida que fizera aquelas tatuagens no tempo em que era chofer de caminhão. "Desde menino eu tinha verdadeira loucura pelos caminhões que passavam à noite na estrada, da minha cama ouvia o barulho do motor aproximando-se cada vez mais. E depois ir-se afastando de novo até sumir lá longe na curva. Era tão bonito e tão triste. Todos em casa dormindo, só eu acordado, esperando o ronco do próximo caminhão, a imaginar os faróis varando a noite com aqueles homens na direção, uns homens calados, transportando suas cargas amordaçadas nos impermeáveis."

— E você não teve mais notícias dele? — perguntei.

Fernando demorou para responder.

— As últimas foram que estava como correspondente de guerra num desses infernos velhos aí do mundo. É o homem mais corajoso que já conheci. Quero ter a sensação de estar vivo e essa sensação só tenho em meio da luta, disse várias vezes, quando ia ou voltava das suas guerrilhas. — Fez uma pausa. E procurou no chão o cinzeiro. — Você chegou a amá-lo?

Levantei-me e fui buscar mais gelo. Anoitecia. Um tímido fiozinho de lua já se desenhava no céu. Mas era ardente o ar que vinha da janela aberta, como se ainda estivéssemos debaixo do sol.

— Ele me amou e eu quis também... Não consegui.

Lembrei-me com que rapidez ele acendia meu cigarro. E como tinha sempre uma história engraçada a contar quando me pressentia triste. E como sabia ouvir sem jamais demonstrar cansaço, hábitos adquiridos nas estradas. Deixava o cigarro pendendo no canto da boca, um toco mortiço. Fixava o olhar num ponto distante e pousava sobre os joelhos as mãos pesadas, de unhas nem sempre muito limpas, afeitas a motores, cheirando vagamente a gasolina. A atitude era sonolenta. Mas ele estava vigilante, nada lhe passava despercebido, nada. "Um urso dorminhoco, compreende?", dizia Marfa e ele encrespava os lábios mostrando os dentes amarelos e fortes: "Dorminhoco? A verdade é que nunca consegui dormir completamente", respondia ele. "Sempre há uma parte de mim mesmo que fica acordada, tomando conta. Quando durmo, quando guio, quando bebo, quando amo — sempre fica de lado um outro Diogo para me contar depois como é que foi." Perguntei-lhe então o que dizia esse outro *eu* quando nos amávamos. Ele examinou desinteressadamente os punhos puídos da camisa. Vestiu-a. "Diz que você está fingindo amor, Zazá. Que está representando o tempo todo e que é inútil fingir. Que você não sente nem desejo nem nada e que é melhor nos metermos num cinema", acrescentou rindo. "Vamos?" Fomos ao cinema. Fomos juntos muitas vezes ao cinema. "Eu tinha horror só de pensar que a minha amada viesse um dia me dizer que gostava de mim como um irmão", observou ele certa noite, quando saíamos de um bar. "E eis que tenho uma dona ao lado que está prestes a me dizer isso", concluiu entre melancólico e divertido. Tomei-o pelo braço, Diogo, eu te amo, fica comigo, fica comigo! Ele abriu a porta do jipe, tirou um lenço do bolso e limpou o banco: "Você é a moça mais bem vestida que já conheci, merecia um banco de veludo e ouro". Pousou as mãos na direção e ficou um instante imóvel antes de dar a partida, olhando em frente. Era ainda o homem das estradas, metade dormindo, metade em vigília. E a metade que vigiava, como que para compensar a parte amortecida, tinha o dom de devassar distâncias que nenhum olhar humano conseguia. "Você tem medo de ficar sozinha, Zazá, você tem medo e por isso me segura embora não me ame. E com isso acaba ficando mais só ainda. Por que você tem tanto medo assim?"

— Preciso ir indo — disse Fernando a deslizar os dedos acariciantes pelo meu braço. — Tão difícil te deixar.

O jipe desapareceu numa tarde de domingo em meio de uma nuvem de poeira. Ficou o silêncio.

— Mas vai deixar.

— Por que o carneirinho está amargo? Hein? Há de ver que devido a essa história de último dia do ano, a gente se sente na obrigação de ficar alegre ou triste, uma maçada.

— Onde estará o Diogo a estas horas?

— Não tenho a menor ideia — murmurou ele atirando o roupão nos ombros. — Mas deve estar satisfeito, há guerrilhas pipocando em toda parte, já me convenci mesmo que o estado normal do mundo é o de guerra, a paz está-se transformando numa anormalidade. Pois até o fim dos tempos nosso Diogo terá muito que contar.

Fiquei ouvindo a água do chuveiro. E o assobio melodioso de Fernando. Um ligeiro vapor insinuava-se pela fresta da porta. Diogo fugia de água como gato, "Homem que toma muito banho acaba ficando afeminado!", disse-me certa vez. Mas João Afonso tomava até três banhos por dia. Fabrízio também tinha mania com água e era feliz em meio dela, estabanado como um animal jovem que não sabe direito onde meter as patas. Teria sido por isso que não pude reconhecê-las quando as vi tão compostas naquele peito de armadura vestida. Uma morte linda de matar.

— Ele morreu num verão assim.

Fernando tinha fechado o chuveiro e voltava ao quarto com a toalha no pescoço. Apanhou o pente e sorriu para a própria imagem refletida no espelho.

— Não sei se reparou, amor, que há horas você está me falando em mortos.

O cabelo crescido tinha qualquer coisa de rebelde, de juvenil, mas as entradas, num franco prenúncio de calvície, ofereciam uma testa aberta, tranquilamente vincada. Tinha o corpo atarracado mas harmonioso principalmente nos gestos de uma elegância que vinha de dentro para fora, madura, sem artifício.

— Apesar de tudo, você ainda é o namorado mais sedutor que já tive.

— Por que esse *apesar de tudo?* Sou um Apolo — disse ele voltando a sorrir. Procurava agora as abotoaduras. Se os outros eram como Diogo...

— Não amei só chofer de caminhão, aquilo foi uma extravagância — eu disse. E nesse mesmo instante doeu-me fundo chegar a negá-lo.

— Por que você fala assim, amor? Ele é tão infinitamente melhor do que nós.

E era Fernando quem o defendia. Não tenho caráter, concluí. E quis continuar mesquinha.

— Ele não gostava de tomar banho — acrescentei baixinho, polindo as unhas na barra do lençol.

— Nunca precisou de tanta água como você, amor. Essa sua mania de lavar as mãos, de examinar as unhas, ver se estão limpas... Que pecados elas refletem? — perguntou ele. E noutro tom, enquanto dava o laço na gravata. — Mas quem foi que morreu no verão? Há pouco você dizia que não sei quem tinha morrido no verão, hein?

— Fabrízio, o Lili. Impressionante que quando dei com ele morto, não consegui nem chorar, era impossível relacionar aquele corpo com o Lili que conheci vivo. Só existiu enquanto vivo.

Fernando arqueou as sobrancelhas numa expressão de cansaço.

— Mas, meu amor, só existimos mesmo enquanto vivos. Você tem alguma dúvida a respeito?

— Alguns não conseguem morrer.

Ele vestiu o paletó. Apalpou os bolsos.

— Não? Nem mesmo quando se transformam numa carcaça putrefata? Hein? — insistiu enquanto apanhava o molho de chaves em cima da cômoda. — A diferença entre nós é que quando você vê uma formiga carregando outra, suspira e pensa, Olha aí a formiga que vai enterrar a irmãzinha dela. E eu respondo, Não, meu amor, ela não vai enterrar a irmãzinha morta, ela vai comê-la.

Cobri o rosto com o lençol. André, André. Teria lido aquela página? Claro que sim. Para rasgá-la em seguida, apavorado com a ideia que minha mãe visse. Certamente iria hoje cumprimentá-la com um ramo de rosas vermelhas na mão. Ou apenas com uma só rosa, era mais romântico. E mais econômico. Feliz ano-novo, Patrícia. Ela então receberia a rosa em silêncio. Por que a rosa em lugar do rosto? E o cheiro de hortelã, ah, papai, você bebeu outra vez! Até na morte?...

Numa tarde, tranquilamente André e eu poderíamos voltar ao salão de chá dos velhinhos, ouvir o despertar nos bosques de Viena. E quando ele pousasse em mim o olhar dourado, eu diria, Acabei de nascer, André. Quero um nome, me dê agora um nome porque acabei de nascer!

Sentei-me na cama. Enrolei-me no lençol.

— Estamos nos decompondo nesta farsa.

Fernando afastou o lençol e acariciou meu seio na gruta da mão. Beijou-o mansamente.

— Que foi que você disse, amor?

— Que é melhor nos separarmos já. Vá-se embora, Fernando, e não me procure nunca mais.

Ele cobriu-me de novo. Deixei cair o cigarro dentro do copo e fiquei a vê-lo boiar no uísque, o fumo intumescido, ameaçando romper a emenda de papel.

— Você está falando sério, Raíza?

— Quero começar um ano limpo, decente. Você não me ama, estamos nos chafurdando num jogo sem sentido, quero sair disto.

— Sair *disto*?

— Por que não me pergunta que programa vou fazer hoje? Hein? Por que não quer ouvir a resposta, por que não quer saber com quem vou me deitar?

Ele girou no dedo o molho de chaves. O sorriso fatigado transferira-se para o olhar numa expressão de quem se prepara resignadamente para uma cena.

— Você é livre, amor. Se prefere romper, rompemos, a decisão é sua, você sabe disso. Faça o que quiser, apenas não seja vulgar.

Tive vontade de atirar-lhe o copo na cara. E já começava a engordar no ventre, o cínico.

— Você me dá nojo — eu disse enrolando-me no lençol. E escondi a cara no travesseiro, Ah, meu Deus, me dê coragem, me dê coragem!

Chamei-o quando ele abria a porta, chamei-o porque sabia que quando ele tivesse saído e eu me visse sozinha no meio do quarto, sozinha e nua no meio da noite, correria como louca para pedir-lhe perdão.

— Fernando, não vá ainda, espera!

— Raíza querida, estou atrasadíssimo, depois falamos...

— Não, não, tem que ser agora! Acho que estou bêbada, não se importe com o que eu disse, guarde só isto, Eu te amo! Eu te amo!

Ele acariciou meu rosto com o dorso da mão. Beijou meus seios, beijou minha boca e ao sentir os lábios dele é que notei o quanto os meus estavam frios.

— Este carneirinho tonto. Desconfiei que as coisas não iam muito brilhantes quando você começou suas preleções sobre a higiene, que Diogo não tomava banho e mais isso e mais aquilo... Da higiene física, passou para a moral. Mais um pouco e eu acabaria com pés de cabra, exalando cheiro de enxofre. No fundo de tudo, amor, está aquele palito de fósforo.

— Que palito?

— A reunião em minha casa — começou ele rapidamente, consultando o relógio. — Quantas vezes precisarei dizer que não amo minha mulher, que sou infeliz com ela? Hein? Como seria infeliz com você se estivéssemos casados, ninguém está feliz, carneirinho, ninguém. Assim mesmo, milhares de vezes já propus, quer casar comigo? Quer casar comigo?

— Sem nenhum fervor.

Ele sorriu, paciente.

— Mas que fervor?! Se não acredito no casamento, Raíza, como é que você quer que... Apesar de tudo, até que tenho me casado muito, embora sabendo perfeitamente que dentro de poucos meses, dentro de poucos anos, a coisa fica assim como um saco de água quente que se leva para a cama em noite de inverno: no princípio, aquele bem-estar, aquele calor. No meio da noite a gente acorda e descobre que a água já está fria, mas tão fria que parece absurda a lembrança de que houve um instante em que ela nos aqueceu.

Levantei os braços. Inclinei a cabeça para trás. E desatei a rir quando ele correu as pontas dos dedos pelo meu pescoço.

— Fernando, vamos ser bons no ano-novo, vamos ser bons! Olha aí, sou a catedral que saiu do mar, os sinos todos tocando, blim, blão!...

Ele tomou-me pela cintura e me fez oscilar como um pêndulo.

— E não afunde mais.

Quando ele se foi já havia estrelas no céu. Fiquei de pé no meio do quarto, nua e fria como o gesso a me olhar com seus olhos sem pupila. Era assim também que ele te amava? perguntei. Acendi a luz. Inclinei-me para o copo em cima da pilha de discos. Através do resto de uísque e gelo, pude ler o rótulo do disco: Debussy. Apanhei-o, corri para a janela e atirei-o para o alto, um disco voador!

Um homem deteve-se diante do disco que se espatifou na calçada. Ergueu a cabeça e ficou me olhando, petrificado. Fechei a janela, ah! eu era feliz outra vez, tão fácil ficar feliz, fácil demais! A noite tinha estrelas e um desconhecido jamais se esqueceria de mim naquela noite estrelada, jamais se esqueceria da última noite desse ano, quando uma mulher loura e nua abriu uma janela e atirou um disco no ar.

IV

Marfa mergulhou na banheira. Fechou os olhos.

— Banho de imersão dá uma certa paz, compreende? Chuveiro sempre agita um pouco — acrescentou lentamente. — A gente devia acordar como artista de cinema americano, os olhos tão luminosos, o penteado tão perfeito... Têm filhos e a barriga não cresce, dormem e não amarrotam a camisola, as cadelas. — Fez uma pausa. E molhou as pálpebras com as pontas dos dedos. — Que é que você está aí escovando?

Sentei-me no banco ao lado do lavatório.

— As unhas.

— Você tem mania com as unhas.

— Fernando também já me disse isso.

— Você precisa de divã, vou-lhe apresentar o meu bruxo.

Deixei a espuma escorrer pelos pulsos e pingar no chão.

— Mas só por causa das unhas?

Marfa abriu as mãos sobre o ventre e deixou-as flutuar. Já tinha umedecido o travesseiro de lágrimas e agora atingia o estado apático. Falava num tom baixo.

— É preferível que inicie o tratamento por causa de um detalhe apenas, compreende? Você vai lá para saber por que olha tanto para as unhas e acabará descobrindo que aos dez anos quis enforcar sua mãe com a fita do cabelo... Uma freira lá do pensionato foi ao médico por causa de uma dorzinha no joelho, qualquer aspirina resolveria, compreende? Pois tanto ele pesquisou que acabou por lhe descobrir uma lesão no cerebelo. Com os negócios da alma, vai ver é assim também, de dor em dor, o psicanalista chega à raiz da dor. E se não solucionar pelo menos esclarece.

— Eles vão me dar palavras, Marfa. E meu vocabulário já é enorme.

— Mas o que queria que te dessem? Não será nenhum desses bruxos que vai te fazer uma concertista, compreende? Nem te darão embrulhado em celofane o homem amado. O que eles fazem é ouvir as historinhas que a gente vai contando, o que já é muito. Afinal, não tenho ninguém disposto a me dar atenção quando quero falar sobre mim mesma. E às vezes quero falar sobre mim mesma.

— Se você me pagasse eu seria capaz de ouvi-la.

— Não adiantaria, o bruxo tem que ser homem para a gente se apaixonar por ele. Com o mulherio acontece a mesma coisa, de repente elas se transferem para os braços do bruxo. E ele então faz a seleção, fica com as bonitas e transfere os bagulhos...

Olhei-a demoradamente. Era grande e roliça como as mulheres dos quadros de Botticelli, umas mulheres de ombros estreitos e quadris vastos como planícies. Mulheres sem ossos, de brandas veias azuladas divagando sob a pele. E olhos estrábicos.

— Mas você conta tudo?

Ela segurou o sabonete nas mãos e fê-lo saltar como peixe. Teve um risinho pastoso.

— Invento muito também, principalmente quando ele me conduz para toda essa demagogia da infância. Começo contando uma bebedeira, compreende? E quando dou acordo de mim já estou no tempo em que usava trancinhas.

— Você nunca usou trancinhas, Marfa.

Ela abriu a torneira de água quente.

— Mas ele espera a descrição dessas tranças, seria uma pena desapontá-lo, *pés descalços, braços nus,* lembra? Em busca das borboletas *azus,* eu recitava isso. Tenho até engulhos só de pensar nesse tempo — acrescentou firmando-se sobre os cotovelos. E inclinando a cabeça para trás, afundou a cara na água.

Na superfície da banheira ficou a espuma branca boiando sobre a imagem de uma afogada. Desviei o olhar. Ela ainda não sabia que eram essas lembranças os únicos laços que nos ligavam realmente. Só me restava a infância, embora de todos esses anos somados tivessem ficado apenas algumas horas de alegria, mais nada. Abri a torneira da pia e pensei na fonte da minha infância, quando eu me estendia no chão, o livro aberto, ouvindo de olhos fechados o murmúrio da água, imaginando o que poderia fazer para fortalecê-la, ah! meu Deus será que os outros também tinham notado que a minha fonte estava morrendo? Enquanto só eu soubesse poderia haver um milagre, hein?!... Mas a minha mãe também percebeu quando me disse calmamente, "Ela vai secar, Raíza". Então corri para o sótão e fui abraçar o meu pai.

Fechei a torneira. Fechei as mãos. Voltei-me para Marfa que se sentara na banheira. A cabeleira negra descia-lhe grudada na cara como um pano desfiado. Afastou os cabelos empastados.

— E então?

— Então há pouca esperança para nós, Marfa. Sinto às vezes que eu poderia me salvar se amasse mas esse teria que ser um amor verdadeiro, que me tocasse assim como uma graça e não esses arremedos de amor.

— O amor, uma graça divina?... Olha aí, você já está falando assim como aquele quase padre, o amigo da sua mãe, compreende? Ele não se chama André? — ela perguntou ensaboando a cabeça. — Ontem você ria tanto, feliz com Rodolfo e seus estimulantes, arrependeu-se? Tirando essa parte dos anjos de espada em fogo cobrando com juros tamanho prazer, confessa agora, não foi uma noite divertida?

Limpei com o pé descalço os borrifos de espuma no ladrilho e lembrei da outra espuma tão brilhante, assim colorida e leve como uma bolha de sabão quase estourando no ar e eu rindo e gritando porque era delicioso sentir-me assim tão leve que podia, puf! desaparecer mas espera! agora a espuma se transformou em grandes flores douradas, com a cabeleira igual à minha. Deitei-me sobre elas, senti calor e chamei, André! E André inclinou-se feito uma haste dourada de sol e me beijou na boca assim devagar, tão profundamente... Havia música, um piano. Em meio do beijo perguntei quem tocava assim tão lindamente e antes de ouvir a resposta eu já sabia, sou eu! Os sons eram verdes e tão luminosos, procurei-me entre eles, subi até as nuvens, um rebanho de nuvens conduzidas por André tocando uma flauta dourada. Procurei-me nas suas feições e com tanta ansiedade que ele deixou cair a flauta e assim tateante veio com a boca procurando a minha boca, encontrou e foi úmido e quente afundando em mim. O amor é música, disse num sopro, Vamos agora fazer música juntos, pediu e foi descendo a mão até o meu seio.

— Que sonho, Marfa, que sonho! E todo aquele fabuloso mundo de cores com aquele verde tão brilhante mas de repente, está me escutando? No fundo desse brilho comecei a descobrir qualquer coisa de terrível e me perdi de repente e voltei a me procurar, onde estava o meu amor, onde? E eu mesma, onde estava agora? Baixou a sombra, anoiteceu? perguntei em meio do delírio. Então acordei e vi Rodolfo ao meu lado, esse Rodolfo que tinha um certo charme no começo da noite e agora tive que tapar a cara com tanta repugnância, ah! um contraste tão grande com o homem, aquele André que amei! Olhei em redor. A cama, o quarto, tudo era opaco como se o sol tivesse desaparecido e uma luz morta baixasse sobre nós. Senti-me assim fria como um cadáver.

— E quis dormir outra vez — disse Marfa num tom sombrio. — Eu não gostaria de te ver metida nisso, compreende? Esse Rodolfo é o maior viciado do mundo.

Sentei-me na borda da banheira.

— Não precisa se preocupar, continuarei fora. O prazer é curto demais para compensar o que vem depois. E o que vem depois é só náusea. Não, meu bem, palavra que não tenho nenhuma vontade de voltar ao tal paraíso... Não me vicio em nada, nem sequer no fumo. Se me faltar um cigarro, posso pensar no caso um ou dois dias mas depois viro para o outro lado e esqueço.

Ela sorriu maligna.

— Até para o vício é preciso uma certa fibra, compreende? Até para se viciar é preciso ter caráter.

Enxuguei as mãos na toalha e fui para o meu quarto. A janela estava aberta e foi sofregamente que aspirei a lufada de ar que vinha de fora. Preciso trabalhar, preciso trabalhar, fiquei repetindo. Assustei-me: era como se minha voz viesse da sombra a se arrastar atrás de mim. Debrucei-me na mesa onde estavam os dois livros que Marfa traduzira e que eu precisava rever. Era inacreditável, mas ela produzia muito mais do que eu. Saía de uma bebedeira e entrava logo noutra mas nos intervalos, tinha verdadeiros acessos de energia, trabalhando com uma eficiência que se assemelhava a um processo de autoflagelação. Tomava excitantes, fumava, enchia a garrafa térmica de café e traduzia sem descanso compensando assim o tempo perdido. Quando o sono ameaçava, corria para o banheiro e metia a cabeça na água fria.

Até para o vício é preciso ter coragem, ela dissera. Até para o mal era preciso ter alguma fibra. Sentei-me e descansei a fronte na mesa. Ela ao menos escolhera enquanto que eu ali estava em disponibilidade, sem coragem para o mal, sem coragem para o bem, os braços abertos na indecisão. Podia ir para um lado e podia ir para o outro, como o aristocrata do quadro de Watteau, um jovem de sapatos de fivela e roupa de seda. Tinha os braços frouxamente abertos e se

66

chamava *O Indiferente*. O tom azul da roupa era delicado como o tom rosa da capa aberta no braço, forrada também de azul. E ele se oferecia a ensaiar um passo de dança, com uma displicência igual à da capa atirada no braço, a flexível capa de duas faces, podia usá-la no avesso ou no direito, não importava já que os dois lados valiam.

Fui até a cozinha e trouxe uma soda. Bebi na garrafa. Nada me parecia suficientemente gelado naquele calor. Acendi um cigarro e fiquei ouvindo o ruído da máquina de escrever, um ruído acobertado lá no fundo como uma conspiração. Minha mãe. Chovia? Fazia sol? Eu ficara grávida? Marfa aparecera bêbada? Tio Samuel fora para o hospício? Meu pai fora para o inferno? Não, nada disso tinha a menor importância, o importante era que ela escrevesse seus livros. Podia um vulcão romper no meio do jardim público e haver um fuzilamento em massa na esquina e a lua dar um grito e se despencar lá do alto... Ela não queria saber de nada. Ou melhor, queria saber mas era como se não tivesse sabido. Ouvia. Calava. E muito tesa e muito limpa, sentava-se diante da máquina, punha os óculos e começava a escrever. Não ignorava que os mortos inesquecíveis acabavam sendo esquecidos, que os vivos importantíssimos deixavam de ser importantes, que os acontecimentos decisivos acabavam por não decidir nada. Sabia muito bem que a vida — tão cheia de força e de esperança — acabava sendo roída pelo tempo como qualquer sapato velho roído por um rato. Ela sabia muito bem de tudo isso. Meu pai, tia Graciana, tio Samuel, Marfa, eu — vivos e mortos podiam se arremessar contra ela como uma onda estourando na pedra. A espuma crescia e se desfazia no ar mas a pedra ficava. Era preciso apenas recolher as notas dispersas como faz o caramujo ao captar no bojo a música do mar. Guardar o útil e deitar fora o inútil. E que perita ela se tornara nessa arte de selecionar!... Que importância meu pai ou eu podíamos ter? Nós dois tão desfibrados, tão frágeis com nosso medo da morte, com nosso medo da vida — que importância, não, mamãezinha? Se ao menos tivéssemos sabido aprender as lições admiráveis dos seus livros, recheados de personagens mais admiráveis ainda... É bem verdade que o cotidiano não existia para esses heróis. Mas que importava o cotidiano com suas espinhas de peixe e suas moscas eletrocutadas no fio elétrico? Tão perecível como meu pai, como eu. Ah, mamãezinha, faça com que fique alguma coisa de nós! Não vai aproveitar nos seus livros nem ao menos nossos olhos? Hein? Nem nossos perplexos olhos azuis?...

Ele podia ter dito qualquer coisa. E olhou-me através das pétalas e não disse nada. Cheirava a hortelã. Até na morte prosseguia tentando ingenuamente disfarçar o cheiro de álcool com as pequeninas pastilhas brancas que tirava do tubo prateado. Dava-me os tubos vazios que eu recebia com entusiasmo embora não soubesse o que fazer com eles: eram pequenos para os lápis. E de diâmetro demasiado estreito para minha coleção de pedregulhos, principalmente para aquele em forma de coração, um coração cinzento com um rachão no meio. Levei-o ao meu pai para fazer um curativo. Ele examinou o pedregulho com a maior seriedade, como se ainda estivesse no balcão da farmácia: "Este vai ser difícil de cicatrizar...".

— Marfa ainda está no banho?

Reacendi o cigarro apagado sob a crosta da cinza. Minha mãe me observava à traição. Soprei a fumaça e voltei-me.

— O gosto já não é o mesmo — disse eu soprando a brasa. — Não adianta ressuscitar o toco que não vai ser mais como antes.

— Isso acontece com os cigarros.

— E com gente também. Lázaro não ressuscitou igual, aposto. Ficou depois um outro homem, não é assim que se diz? Para pior, é claro.

Ela me olhou, penalizada. Um raio de luz batia em seus cabelos dando-lhes um brilho quente. Podia tingi-los. Mas preferia deixá-los assim, docemente castanho-grisalhos, penteados para trás. O perfume discreto. O discreto colorido da boca. E os olhos largos e luminosos, irradiando uma luz que a envolvia como uma aura. Era jovem mas não era mais jovem. Estava vestida para sair mas não ia sair.

— Raíza, ouvi um gemido no banheiro. Perguntei da porta se ela estava bem e respondeu-me que sim mas você não quer ir ver?

Arranquei as sandálias e esfreguei no chão os pés descalços.

— Você não sente calor, mamãe? Incrível como você consegue ficar assim toda arrumada, uma princesa...

Abafei o riso. Tudo aquilo era tão disparatado! Marfa dissolvida na água, minha mãe em estado sólido, feito pedra, e eu ali no indefinível estado pastoso. Fiquei séria.

— Trata-se de um banho de recuperação — prossegui noutro tom. — Ela despejou quilos de sais na água, não se preocupe que sairá em forma, os gemidos fazem parte do quadro.

— Que quadro?

Fiz um gesto vago.

— Do quadro em geral...

Ela me olhava impassível mas um ligeiro repuxar na comissura da boca deu-lhe por um brevíssimo instante uma expressão dura.

— Eu sei que a culpa é minha, Raíza. Mas sei também que agora não posso fazer nada senão esperar. Um dia conversaremos, filha, um dia ainda conversaremos ou então nem será preciso...

— Ah, sem dúvida! Prefiro muito que seja no outono, com a folhagem em redor toda esbraseada, nunca vi uma folhagem assim mas fica bem no caso. Teremos então aquele olhar de entendimento como dizem os livros...

— Raíza!

— E falaremos por metáforas, como convém aos intelectuais. Direi logo de início, por exemplo, que os anos tombam sobre você como folhas, tombam e resvalam para o chão e você continua igual.

— Raíza, chega.

— Mas se é verdade... Você está tão bonita, há anos que te vejo assim como nesta hora: a mulher eterna.

Ela fixou em mim o olhar tranquilo. Tranquilo demais para ser tranquilo, pensei apanhando a garrafa de vodca em cima da mesa. Quer? Ela recusou, polida e distante. Vou lecionar, mamãe, já tenho quatro alunos. Lecionar piano, *Nini et Bébé*...

— Bom plano esse.

Aproximei-me da janela. Um bom plano, ela dissera, um bom plano. Bebi no cálice em pequeninos goles. E senti a mesma náusea da noite anterior, quando acordei e vi Rodolfo ao meu lado. Prosseguir na carreira não seria um plano melhor ainda?

— E vou também escrever uma peça — disse rapidamente. — Uma peça que se passa no banheiro, você sabe, as conversas mais íntimas, as confidências mais importantes a gente faz no banheiro, é o lugar ideal para as confissões...

— Nem diga.

Agora ela devia estar sorrindo. Debrucei-me na janela.

— Os seus heróis não frequentam o banheiro, imagine que banal! Mas os meus não saem dele, ou melhor, podem sair mas logo entram outros em seguida, há uma reunião na casa, o banheiro está concorridíssimo. Então o mulherio entra e sai e nesse ir e vir a história vai-se encadeando. Os anti-heróis. O pedaço mais chocante é quando entra um tipo com a namorada e se fecha lá dentro, a mulher enciumada tem que arrombar a porta... Uma loucura. Eu sei que você não gosta de chocar o leitor mas minha escola já é outra. Assim que melhorar vou escrever esse drama.

— Mas você está doente?

— Eu não chamaria de doença... Você sabe, mãezinha, cometi um deslize, no linguajar de tia Graciana. Então tive que tomar aquelas providências tão deprimentes, eu sei. Mas fazem parte da vida, como dizem os tangos.

70

No silêncio ferido por pequenos ruídos que vinham lá de fora, pude ouvir as batidas do meu coração. Adivinhava a formação do vinco entre suas sobrancelhas e assim que surgia esse vinco começava todo um processo de devastação que lhe tomava a face inteira. Era como se debaixo daquela pele lisa dormisse uma rede de rugas: ao primeiro puxão, vinha à superfície. E aquela beleza toda que residia na serenidade perdia-se então pelas gretas. Vai recorrer agora ao exercício da respiração ioga, pensei dando-lhe algum tempo para se recompor. Cheguei a contar até dez. Dilatei o prazo, vá lá!, até quinze. Em seguida, voltei-me. O quarto estava vazio.

Sentei-me e comecei a trabalhar na revisão. Mas a cabeça pesava e era insuportável o contato do papel que parecia queimar minha mão. Por que esse calor? Deixei cair a caneta. Estou só, logo, existo — eis uma oportuna paródia para um dia de ressaca. E solidão.

Abri a mão em cima da gravura que eu pregara com tachas na parede. Havia uma rosa de van Gogh que tinha a mesma cor da minha mão. Rosas num pote verde. Tão inocentes, não? Um pote verde com rosas. Contudo, bastava olhar mais demoradamente para surgir a primeira dúvida: eram rosas vermelhas? Brancas? Amarelas? Todas as cores se empastavam nas pétalas intumescidas e que desabrochavam em labirintos escalavrados pelo pincel na ânsia de encontrar uma saída. Em vão ele abrira talhos profundos na massa espessa das corolas, rodando pelos mesmos caminhos como um viajante perdido na mata. Havia esperança? A resposta vinha do sangue que as pétalas gretadas iam vertendo: enquanto houver desespero, diziam elas, haverá luta. E na luta está a salvação.

Bati nos joelhos com os punhos fechados. Por que eu dissera aquilo à minha mãe? Por quê? Era como se ao meu lado houvesse uma outra Raíza a me vigiar para que não esmorecesse nunca, para que prosseguisse agredindo porque assim tínhamos decidido. "Agrida para não ser triturada", dizia essa outra. Mas que esperança podia haver nessa luta?

E o que me impelia a lutar? O ódio? O amor? É certo que às vezes reagia com a coragem daquele pincel a abrir caminhos, num ardor que podia tanto fazer parte de uma defesa como de um ataque. Eram os momentos em que acreditava na minha vocação e achava possível voltar novamente ao piano. A fé na carreira faria renascer minha fé na vida. E amando a vida eu amaria Deus, ah! como haveria de amá-lo com o mesmo cego ardor com que o amei na infância, quando me alvoroçava como um grão de pó a se aninhar humilde na sola das suas sandálias, Aqui estou, meu Pai. Aqui estou.

Abri o vidro de óleo de amêndoas e nele fui mergulhando as pontas dos dedos. Um cheiro adocicado espalhou-se no ar. Com o pauzinho de laranjeira, afastei a película das unhas para que nelas penetrasse o óleo. Mas Deus não usava sandálias, só Jesus as tinha usado um dia. Jesus talvez me entendesse mais, Ele que já estivera entre nós, que já chorara como nós e como nós sentira o mesmo desespero. O mesmo vazio.

Enxuguei os dedos num pedaço de algodão. E o mesmo calor. Incrível como havia gente que naquele momento mesmo construía casas. Ou consertava estradas. Gente levantando pesadíssimos halteres quando a solução seria sentar-se à beira do caminho e ali ficar imóvel, vendo os outros irem passando, na corrida.

Lembrei-me da Frigideira Humana daquele velho parque de diversões: no centro de uma enorme prancha redonda, irradiando um clarão metálico — exatamente como o fundo de uma frigideira — a gente se amontoava, uns agarrando-se aos outros enquanto a prancha se punha em movimento, girando mais depressa, mais depressa, mais depressa!... Aos poucos, uma por uma as pessoas iam rolando como fardos até as bordas da prancha para dali serem cuspidas. Caíam num chão acolchoado, é certo, mas em meio à vaia dos espectadores. Agarrei-me em Diogo e num moço gorducho que se colava ao chão como uma lesma. Mas o moço desvencilhou-se de mim e numa das voltas, para não ser cuspido também, Diogo me soltou. Quando a prancha arrefeceu a velocidade, só ficou Diogo no meio, estatelado de bruços até o fim. Você me abandonou, queixei-me. Quando viu que eu ia rolar, largou minha mão. Ele então ofereceu-me um pacote de pipocas. "Você estava perdida, Zazá. Que ao menos um de nós dois se salvasse para ganhar o troféu."

Sacudi a estatueta de gesso colorido: era um menino com cara de anão, comendo pitangas. E o troféu é isto? perguntei. Ele encheu a boca de pipocas. "Não interessa o que se ganha ou perde, o que interessa é o jogo. Com o que vem em seguida a gente faz assim", acrescentou deixando a estatueta nas mãos de um vendedor de balões.

— Eu era feliz com ele — disse à Marfa que entrava vagarosamente, enrolada na toalha de banho.

— Feliz com quem?

— Com Diogo. Já sei, já sei, você vai dizer que eu me queixava quando estava com ele, que queria me ver livre. Mas é que na hora a gente nunca sabe se é feliz ou não, só depois que passa tudo é que se avalia.

Ela sentou-se na cama e polvilhou os pés com talco.

— Mas então não adianta ser feliz nunca. Se na época nem se aproveita, compreende? — Encolheu os ombros. — Hoje o Rodolfo vai dar uma festa a fantasia, despedida de um tipo que vai para a Legião Estrangeira.

— Não existe mais a Legião Estrangeira.

— Não? É pena, aí estava um bom lugar para os homens irem. Mas e a festa?

Cravei o olhar no quadro das rosas. Pareciam agora mais pálidas em meio dos laivos de sangue.

— Não contem comigo, Marfa. Vocês me aborrecem, sempre as mesmas frases, os mesmos gestos, é cansativo. E a verdade é que ainda tenho a chama, sabe o que é chama? Quero viver no claro, quero participar, já não suporto essa apatia de bêbado crônico que nem sabe se amanheceu. O egoísmo de ficarmos à margem de tudo, olhando o próprio umbigo...

— Tenho nojo de umbigo, compreende?

Levantei-me e encarei-a.

— Deus vomitará os mornos.

— Está na Bíblia?

— Está na Bíblia.

Ela fechou o zíper da saia, arregaçou as mangas da blusa e desatou a rir. Ficou séria para pintar os olhos e em seguida encarou-me. Eram singularmente belos aqueles olhos estrábicos.

— Raíza, você está parecendo o André, ele já me falou nessa história de sair de espada em punho, salvar não sei o quê, provavelmente o mundo... Mas se nem aqui, nesta pátria em perigo, hein? Desde que nasci ela está em perigo, e então? Fazer o quê? Tem lido os jornais? Já está engrossando por aí uma revolução para derrubar o presidente, coisa de militar, compreende? Me dá depressa a fórmula, impedir uma outra ditadura, posso escrever às chamadas cúpulas políticas meus bilhetinhos de protesto, me enfiar numa armadura e ir à luta — é isso que você espera de mim?

— Somos capazes de ódio mas não somos capazes de indignação, o que é diferente. Deus vai nos vomitar.

— Não seja pretensiosa, estaremos em outros vômitos, não nesse, compreende? — Riu baixinho. — Está bem, somos incapazes de indignação, uma maçada, como diria o Fernando. Ainda assim eu poderia fazer um esforço para impedir que estoure outra bomba no Pacífico, que tal enviar aos senhores da guerra alguns mimos típicos, aquelas nossas bandejas feitas com asas de borboletas?... Ah, você quer fervor, já sei. Então eu poderia arrancar minhas unhas, meus olhos e mandar-lhes junto com meu cérebro dentro de um vidrinho, quem sabe eles se comoveriam... E a competente secretária americana escreveria à família enlutada agradecendo o sacrifício e faria presente do cérebro a um médico que montou em Londres um laboratório especializado em criar lobisomens. Você teria então uma prima lobisomem, compreende? É isso que você quer?

Recomeçou a rir enquanto se penteava.

— Marfa, escuta — eu comecei. — Não se trata de salvar o mundo...

— Mas se nem neste nosso miserável metro quadrado a gente pode interferir, compreende? Vamos, peça à sua mãe que não venda a nossa casa, gostamos tanto dela, lá passamos a infância, seria tão triste perdê-la! Peça à tia para mudar a fórmula de uma das suas essências, ao invés de jasmim, que use cravos brancos e vá em seguida pedir a Dionísia que faça uma torta de maçã, ela faz na perfeição as tais tortas de maçã, peça-lhe uma. Sua mãe dirá que são realmente muito tocantes as recordações infantis e etecetera e tal, mas precisa de dinheiro, a casa será vendida. Tia Graciana contará uma historinha de flores e continuará usando jasmins porque decidiu assim e assim será, compreende? E Dionísia poderá fazer uma torta mas será de laranja, não é tempo de maçãs... Serve de laranja?

Fui até a janela. E fiquei a olhar os quintais que se aninhavam ao redor do edifício. No quintal do viveiro de pássaros, uma mulher lavava roupa no tanque. Ali do sétimo andar eu só podia ver que era gorda e usava óculos escuros enquanto esfregava ferozmente um lençol, devia ser lençol aquele pano branco que ela molhava na espuma, esfregava e voltava a molhar. No quintal dos velhos, o gato brincava com um bichinho escuro que podia ser um camundongo. Ou um passarinho. No quintal da casa de pensão, só as roupas abertas nos varais que iam e vinham formando um labirinto. Senti um certo alívio: assim do alto não se veem as nódoas das roupas e não se reconhecem os bichos que estão sendo torturados. Nem repugnância nem piedade.

Meu metro quadrado está aqui dentro, pensei fechando as mãos. E nele era só eu quem decidia: a casa continuava sendo nossa, a essência de jasmins tinha o perfume de cravos e a torta de laranja tinha o sabor de maçã. Nesse metro quadrado minha mãe pedia que eu deitasse a cabeça no seu colo para me afagar, como fazia quando eu era criança.

Meu pai — vivo ou morto, não importava — exibia para nós a face descoberta enquanto que as palavras todas seriam ditas, não, a morte não ficaria com nenhuma. Tio Samuel recortaria com a tesourinha um Rei de Copas, feliz por ter chegado ao coração do baralho. E nesse espaço também caberia André, nem tinha importância que ele não me amasse, eu amava por ele, eu amava por todos.

— Marfa, às vezes acho a vida tão maravilhosa!...

— Eu também acho. Só que hoje está meio quente, não? Para meu gosto, há calor demais. Posso usar seu perfume?

— Marfa, você se lembra daquele espelho do sótão? Vou buscá-lo um dia desses, quero que fique aqui no meu quarto.

— Se é o espelho que estou pensando ele já deve estar caindo aos pedaços, que é que você vai fazer com aquela velharia? Tenho nojo de coisa antiga, compreende? — Fez uma pausa. E sorriu maliciosamente. — Vou para um encontro. Não me pergunta com quem?

— Seja com quem for, que seja um lindo encontro.

— Lindo é te ver na aura de Joana d'Arc. Gostaria de te deixar aí se queimando na dúvida e não consigo — murmurou ela em meio de um risinho. Puxou meus cabelos afetuosamente. — Uma santa!

Encarei-a.

— Quando descubro que amo as pessoas que julgava odiar, sou livre, Marfa. E quando sou livre, sou boa. Então fico feliz porque tenho sempre tanta vontade de ser boa...

— Está bem, padre André, é uma descoberta importante essa mas agora preciso ir indo. A festa começa às dez, quero ver se alugo uns trapos numa loja de teatro, gosto dessas fantasias de ópera. Trago-lhe uma.

Fiquei imóvel. Há pouco, o sol me queimava mas agora ele parecia se irradiar de mim.

V

A escuridão tomou a forma de um pássaro de asas abertas. Fui tateando por entre as penas pretas e cheguei até seus olhos de vidro: ali estava o sótão frouxamente iluminado pelo espelho lá no alto e do qual baixava um estranho palor. A mala de tia Graciana estava sem o cadeado. Levantei a tampa e inclinei-me sobre o vestido de noiva de uma brancura fosforescente. O véu desfez-se e vi então um rato comendo os botões de laranjeira da grinalda. Deixei cair a tampa em meio da poeira: um perfume de rosas espalhou-se no ar e no fundo do perfume, o hálito de hortelã. Corri na direção do espelho, entrei nele e encontrei meu pai e tio Samuel sentados num rolo de tapete. Ambos pareciam feitos do mesmo cristal amarelo do espelho e estavam embaçados como se alguém tivesse bafejado no vidro. Paizinho! chamei. Ele então voltou-se mas nesse momento o passarinho empalhado desceu num voo vertical e quebrou o espelho com o bico. Os estilhaços caíram aos meus pés e diante de mim restou apenas o contorno de duas asas cortadas. Avancei contra elas mas por entre as penas duras de verniz vislumbrei de repente um par de olhos. Aproximei-me. Eram olhos humanos, com estilhaços dourados do espelho no fundo das pupilas. André! chamei com todas as minhas forças. E agarrei-me às pontas esfiapadas das asas que osci- lavam no abismo, André!...

Sentei-me na cama, agarrada às franjas do vestido ver- melho. Limpei no lençol o rosto banhado de suor. Apalpei as pernas. Dormira também com as meias e as ligas da fan- tasia. Arranquei-as e desabei de novo sobre o travesseiro.

Dionísia abriu a porta. A face negra reluziu na penumbra.

— E então, moça? Vai dormir a tarde inteira?

Encolhi-me. E dei à voz um acento infantil embora sou- besse muito bem que ela não se comoveria mais.

— Sonhei um sonho ruim, Dionísia.

— É porque você vive ruim, é por isso. Não quer um café? — perguntou aproximando-se. E onde é que já se viu uma coisa dessas, dormir vestida! Se é que essa doidice pode se chamar de vestido...

— É uma fantasia de melindrosa, fui a um baile a fantasia — desculpei-me rapidamente. Era bom vê-la ocupando-se de mim embora para repreender. Quer ser um amor e me prepa- rar um chocolate bem quente? Dionísia, não vá ainda!...

Com seu alto turbante branco, muito tesa e esguia ela foi- -se afastando com a imponência de uma rainha negra. Apa- nhei um pouco de confete que se espalhara no travesseiro. "Absurdo é uma lâmpada estar apagada e acesa ao mesmo tempo", ensinou Dona Veridiana, a dos olhos de coelho e que antes de lecionar piano lecionara lógica. E o baile fora a própria lâmpada louca, apagada e acesa no meio da noite.

Marfa chegou logo depois do jantar e então pensei na- quelas figuras estranhíssimas que me apareciam às vezes nos preâmbulos do sono, desatinada mistura de bicho e gente, de caras e focinhos em metamorfose no escuro. Ves- tia uma malha justa, de um tom terroso, tipo de malha de balé e que chegava até as orelhas da máscara de fauno. Por entre a peruca encaracolada e verde, brilhavam os cornos de pontas retorcidas. Ergueu a mão peluda, de longas unhas verdes e fez um aceno geral. Só os olhos eram reconhecíveis na cara cor de terra.

Tia Graciana fez um "Ah!" e recuou um pouco para pousar na mesa a xícara de café. Minha mãe levantou-se. Mas eu continuei sentada, fazendo um bonequinho com miolo de pão. "Que tal minha fantasia?", perguntou ela. Notei que trazia um pano vermelho enrolado como uma bola debaixo do braço. "Você está terrível, Marfa", disse minha mãe em meio de um sorriso. Ofereceu-lhe café. Ela recusou enquanto me atirava o vestido vermelho que trouxera enrolado como um trapo. "Você vai com isto, compreende?", disse e eu senti-lhe o hálito de álcool. "Aluguei esses lixos numa casa de teatro, estou intrigada é com o meu fauno... Em que ópera entra fauno hein, tia?"

Minha mãe devia ter notado que ela bebera porque nesse instante baixou os olhos e teve aquela expressão que eu conhecia bem: era assim que ficava quando via meu pai chegar cheirando a hortelã, nem cordial nem fria mas desligada. Desligada. Tia Graciana pigarreou, aflita. E examinou o vestido que Marfa trouxera: "Tão curtinho, não?", disse ela alisando a franja da saia desgrenhada como uma cabeleira. "Mas é uma fantasia?" Marfa tirou da bolsa um par de ligas vermelhas. "Fantasia de loura do gângster, você será a loura do gângster, repetiu com voz rouca, acendendo um cigarro. Pena a gente não ter uma piteira, daquelas bem compridas..." Amassei na ponta dos dedos o boneco de miolo de pão. Marfa, você não devia ter trazido a fantasia sem falar antes comigo, não vou nessa festa, eu disse. Houve um breve silêncio. Foi quando minha mãe respondeu antes que Marfa o fizesse: "Você *sabe* que vai acabar indo, Raíza. Melhor começar a se vestir, acrescentou apanhando o livro que deixara numa cadeira. Como vai ser uma história de gângster, espero que acabe bem". Sustentei-lhe o olhar. Agora só me restava vestir aquele trapo decotado até quase a cintura, pintar a cara e mergulhar na noite. Há de acabar bem, como não? comecei baixinho. Vou de vermelho para denunciá-lo, tudo de combinação com a polícia que vai nos esperar na saída do cinema. Perto da esquina, atraso-me um pouco e ele então é metralhado. Tia Graciana teve um risinho nervoso: "Eu vi esse filme! Como era mesmo o nome do bandido?".

Minha mãe apertou um pouco os olhos. Como eu amava aquele sorriso de Gioconda a insinuar todo um mundo secreto e que jamais seria revelado! Para uma escritora famosa, só mesmo um famoso sorriso, não, mãezinha?... "E não te acontece nada?", perguntou ela antes de sair da sala. Ainda não sei, respondi. Ainda não sei.

Coloquei fivelas nos sapatos de cetim preto, armei os cabelos e prendi na alça do vestido um broche de diamantes escandalosamente falsos, na opinião de Marfa, o gângster devia estar em decadência. Tia Graciana rondava, excitada: "Quer ir com meu leque, querida? Tenho um leque que combina com esse vestido, vai ficar uma graça!". Marfa apanhou a garrafa de vodca e encheu o cálice. Arregaçou as mangas. Entre as luvas peludas e as mangas arregaçadas, ficaram as faixas alvíssimas dos braços. "Já percebi que vou estourar de calor, esta malha deve ser de fauno do Polo Norte", resmungou voltando-se para tia Graciana que entrava com o leque aberto no peito. "Mas, tiazinha, esse leque foi da Marquesa de Santos, compreende? A gente não pode misturar as fantasias."

Tia Graciana fechou o leque e suspirou. Ficou pensativa. Toda a excitação de adolescente vestindo a amiga para a festa pareceu tê-la abandonado. O labiozinho curto fechou-se sobre os dentes. "Acho bom que você se divirta, as mocinhas precisam mesmo ir às festas... Mas não lembra, Raíza? Ainda hoje você disse que ia recomeçar o piano, trabalhar a sério, lecionar, lembra?"

Lecionar, não é? Esvaziei o cálice que Marfa me oferecia. Um fluxo de sangue subiu-me ao rosto. Bebi novamente e toquei com as pontas dos dedos nos rolinhos de cabelos fortemente presos sob o lenço de seda que ela trazia à maneira das camponesas. Todos os dias prendia aqueles cabelos como se tivesse pela frente alguma festa. E anoitecia. E amanhecia. E anoitecia outra vez e a festa não chegava nunca. Acariciei-lhe o queixo gorducho: Amanhã, titia, amanhã começo uma nova vida, hoje não dá mais tempo. Ela cruzou as mãos no peito. As largas mangas da bata de gaze lilás pendiam-lhe em pregas melancólicas até a cintura. "Mas vocês vão com quem?", quis saber subitamente apreensiva. Com o noivo da Marfa, o Eduardo, tranquilizei-a. Ele está nos esperando aí embaixo. Ela então sorriu como sorriria aquele Pierrô se ele pudesse envelhecer sorrindo na tampa da caixa de bombons: "O Eduardo? É uma flor de moço!".

Pedi a Marfa que nos apressássemos porque era por demais esdrúxulo o espetáculo das nossas fantasias assim isoladas: tínhamos que nos integrar imediatamente no meio dos outros para voltarmos a ter algum sentido.

Eduardo já buzinava, impaciente. Estava vestido de múmia. Uma ponta da bandagem já se desenrolava da sua fronte. Prendeu-a frouxamente com um alfinete que arrancou do peito e esguichou lança-perfume na tira do pulso. Aspirou o éter de olhos fechados. "Entrem, minhas crianças, entrem ligeiro", murmurou descerrando os olhos. "Raíza, você está linda", prosseguiu pousando a mão no meu joelho. "A Marfa parece um verdadeiro Diabo mas você é o próprio Anjo." Achei-o esverdeado sob a luz do luar. Queixando-se de calor, Marfa preferiu sentar-se no banco de trás. Inclinou-se sobre mim: "O Anjo já está na festa, Fernando vai ter que se decidir entre vocês, a luta vai ser infernal...". Fingi retocar a boca para não responder. Ele teria que se decidir entre nós... Então já se comentava abertamente? Enfim, era melhor que tudo se desintegrasse de uma vez, que chegássemos logo ao fundo do poço: só então eu saberia fazer a escolha. E eu era livre para escolher. Mas de que o Anjo se fantasiou? perguntei afetando interesse. Marfa esguichou lança-perfume no ombro de Eduardo. Aspirou-o com gravidade. "Anjo não se fantasia, compreende?"

O carro varava a noite pesada de estrelas. Afundei a cara no ombro de Eduardo e aspirei o éter. Ele riu gostosamente: "Nunca pensei que roupa de múmia fosse tão útil. Só que estou ficando gelado, já não sinto as costas...". Quando não consegui mais suportar o peso da cabeça, recostei-a na almofada. O que havia de extraordinário era exatamente isso, era esse contraste do preto e branco com os crepúsculos pelo meio. Chegara minha vez de jogar e a partida era decisiva. E mesmo que perdesse, o importante era não perder o bom humor. O bom humor, não é? Pedi o tubo a Marfa e esguichei-o na palma da mão, era uma delícia o frigir do éter na carne: não perder o humor mesmo de mãos vazias. Quem falara em mãos vazias? Em areia e mãos vazias?... Sacudi-me no riso. João Afonso, era João Afonso! Tinha ganho uma estatueta de gesso, um anão comendo morangos, morangos ou pitangas? Não, não foi João Afonso, foi Diogo... E a montanha-russa com o carrinho correndo para o precipício assim como corríamos agora, Olha o poste, olha o gato, olha a árvore! A mão peluda quis arrancar-me o éter. Esguichei-o dentro da boca. Os sinos começaram a repicar tão violentamente que tapei os ouvidos rindo porque era cômico ver as estrelas se despencarem tapando os ouvidos como eu. A mais tonta delas chocou-se com o carro, houve um fulgor de estilhaços e a noite apagou-se em seguida.

Quando abri os olhos, Fernando passava delicadamente um pedaço de gelo nas minhas têmporas. Já estávamos na festa. Apanhei ao acaso um copo da mesa e bebi depressa para continuar atordoada. Ele então enxugou meu rosto. "O carneirinho amarrou um pileque?" Respondi qualquer coisa que desapareceu no barulho da fornalha com reflexos vermelhos. Na minha frente, Marfa cantarolava batendo com o copo na mesa. Diana também já estava bêbada: tinha um enorme chapéu de Arlequim com guizos nos bicos. E agarrava-se a Eduardo, tentando arrumar-lhe a bandagem que se afrouxara na cabeça, "Quem tem um martelo? Preciso urgente de um martelo para pregar estas tiras...".

Encostado na parede, o Anjo. "Melhorou, Raíza?", ele quis saber. Estendi-lhe a mão. Pensando bem, por que o preconceito? Ou melhor, por que o ciúme? Ele era tão discreto, tão serviçal, o único de smoking em todo o caos da festa, o único lúcido com sua pele de criança, uma criança sem brilho tomando ajuizadamente seu suco de tomate. Encostei a cabeça no peito de Fernando sentindo-lhe a maciez da camisa esponjosa. Mais forte do que a música ouvia agora o bater do seu coração. Beijei-o. Fernando, me ajude que estou arriscando tudo! Ele então riu baixinho e seu riso era como o fervilhar rouco de lava vindo do fundo da terra. "Mas então beba devagar", aconselhou tirando o copo da minha mão. Teria neste instante trocado um olhar de entendimento com o Anjo? Ou foi impressão minha? Pensei em André. Onde estava André? Comi um sanduíche molhado de uísque. A festa era alegre. Mas então por que estávamos assim tristes? Ou essa tristeza era alegria?

Marfa levantou-se fazendo vacilar a mesa. Lançou um olhar enfurecido a Eduardo, "Queria dançar, compreende?". E sentou-se de novo enfiando a mão peluda por entre os caracóis da cabeleira: "Merda!".

Cuspi confete, alguém que passara furtivamente atirou-me confete na boca. É uma traição, eu disse a Fernando que não me escutou, conversava em voz baixa com o Anjo, eles falavam em voz baixa e era incrível como conseguiam entender-se em meio do barulho. Senti-me só. Mas isso não tinha importância, nada tinha importância, nem o confete nem a traição, bobagem viver tragicamente, eu disse voltando-me para Marfa que por sua vez dirigia-se ao Anjo. Sua voz estava pastosa: "Aprendi um sofisma, compreende? O que não perdeste ainda tens. Ora, não perdeste chifres, logo tens chifres!", acrescentou ela agarrando as pontas dos cornos verdes.

Fechei os olhos enquanto Fernando me beijava. Mas onde estava André? Tombaram alguns copos quando Eduardo e Diana saíram estabanadamente para dançar. Fiquei olhando o vinho espesso ir-se infiltrando devagar no meu vestido como uma mão que se alargasse até alcançar meus joelhos. Marfa então pôs-se a cantar aos gritos, completamente fora de compasso. Esvaziei o copo de Fernando. Só o Anjo devia ficar lúcido, só ele. Assim que eu me afastasse haveria de aproximar-se de Fernando sem poeira e sem suor, limpo como o mancebo sentado na borda da fonte. Perguntei a meu pai o que era mancebo e ele disse que era um moço muito educado, assim eram chamados os moços nas histórias antigas: ao lado de uma fonte sempre aparecia um mancebo e se tinha cabelos louros eu já sabia que se tratava de um anjo. Ah, que bom seria encontrar um mancebo e ser amada por ele, com a água da fonte a nos lavar no amor.

— Ela vai saindo do cinema — começou Marfa fixando em mim os olhos no auge do estrabismo. — Vai saindo de vermelho para que a polícia saiba que o homem dela é *aquele*...

Rápido, o Anjo encheu meu copo de uma bebida verde e que cintilava através do gelo. Se eu bebesse mais, poderia ficar verde também, tão verde e tão transparente que a polícia não saberia nunca qual era o homem que devia metralhar, Fernando, abaixe! gritei quando uma bola de serpentina foi atirada contra nós. Três dominós roxos gritaram pelos nossos nomes e mergulharam no salão. O Anjo então providenciou mais gelo, limpou os copos sujos de confete e encheu-os. "Você quer me embriagar", eu disse e ele riu. Concentrei-me. Teria dito isso ou outra coisa? Era chegada a hora em que as palavras se desgarravam sem nenhum controle, livres. E era bom vê-las assim em pleno voo, nunca o gesto nefando de prendê-las pelas asas e espetá-las como se espeta borboleta. Minha mãe gostava de colecionar palavras, há anos que as colecionava cuidadosamente: eram todas belas e cheiravam a dicionário, perfeitas por fora, mas só a casca intacta desde que por dentro já não havia mais nada, Estão ocas, mãezinha! gritei.

Diana e Eduardo voltaram para a mesa. Estavam turvos. Mas todos estavam turvos na penumbra esfumaçada. Suas vozes — e as vozes dos outros mais distantes — vinham despedaçadas como destroços atirados numa praia. Tapei a cara com as mãos: os alfinetados éramos nós. O alfinete nos trespassava e ficávamos nos debatendo, debatendo até morrermos aos poucos contra o branco da cartolina. Somos nós as palavras, eu disse, e o Anjo não ouviu, "Somos o quê?". Inclinei-me para ele: Palavras! Milhares e milhares de palavras... Ele mordiscou um canudinho de palha. Fincou os cotovelos na mesa, intrigado. "E eu? Que palavra serei eu?", perguntou. Marfa então puxou-o pelo braço e segredou-lhe qualquer coisa ao ouvido. Ele riu silenciosamente e eu ri também porque era bom estarmos ali, trespassados, embora, mas vivos.

Agarrando-me pelos ombros, Eduardo obrigou-me a acompanhá-lo. "Vem, querida, não fique tão britânica. Vamos dar um giro..." Tentei ainda resistir mas ele encostou a boca no meu ouvido: "Faça o Anjo um minuto feliz!".

No meio do salão mal podíamos nos mover. Ele me apertou mais. As bandagens que ainda lhe restavam em volta do tronco estavam molhadas de suor. Afastei-me, repugnada. Então ele esguichou lança-perfume na tira enxovalhada que lhe pendia do pulso. Ficamos dançando e cheirando éter até que me senti mais leve do que o pólen de ouro na peruca do mascarado com uma pinta postiça perto da boca. Ri para ele porque já o conhecia tanto, mas tanto... Você é homem ou mulher? perguntei-lhe e ele dilatou as narinas com carmim nas bordas, "É indiferente...". Aspirei mais éter e tão dourada quanto ele, deixei-me arrastar apoiada ao seu ombro do qual pendia uma capa rosa e azul. Em meio da dança, ora aparecia o lado azul, ora o lado rosa, "É indiferente", ele repetia rodopiando, "é indiferente...". Respirei de boca aberta. A seda da capa foi ficando áspera. Quando abri os olhos novamente, estava com a cara nas bandagens cheirando a éter e suor. E ele? perguntei-lhe olhando em redor. "Ele quem?", estranhou Eduardo deslizando as mãos pelas minhas coxas. Estou bêbada, bêbada, fiquei repetindo voltada para a orquestra. A bateria palpitava como um sol de lata sob a fúria de um negro de camisa vermelha e expressão dolorida.

"Quer sair?", convidou-me Eduardo enlaçando-me pela cintura. Sua boca abateu-se contra a minha como um fruto fendido e morno. Senti-lhe a ponta da língua vibrando sutil como um inseto. Atirei a cabeça para trás. E André? A relva era branda e nela nos deitamos lado a lado, de mãos entrelaçadas. Quietos. Nem precisei dizer eu te amo porque nossos pensamentos corriam pelo nosso corpo, ramificavam-se pelos braços e chegavam até as pontas dos dedos para aí se misturarem como as águas de um só rio. "Raíza, você está linda demais", disse Eduardo, limpando o peito nu na tira do pulso. O vestido colara-se ao meu corpo e agora já não me repugnavam os outros corpos também molhados que se encostavam ao meu, o suor nos irmanava, o suor e a aflição. Ele me beijava e eu me enxugava nas suas bandagens encharcadas e suas mãos me penetravam e a língua buscando mais fundo — o quê?!

Um homem pintado de preto puxou-me pela cintura, mordeu-me de leve o ombro. Segui-o enternecida. Poderia me entregar a todos, se isso lhes dava prazer, todos tão afobados, que custava satisfazê-los com aquele meu falso corpo? Ah, tão longe eu estava!... É indiferente, eu murmurei ao homem. Mas Eduardo já me arrastava com violência para a mesa. Antes, cravou as unhas no meu braço e beijou-me com a mesma força com que me feriu, "Não banque agora a...".

Desabei na cadeira, rindo exausta. Quebrara o salto do sapato e a alça do vestido estava rompida. Olha aí, Marfa, eu disse, o vestido está se desfazendo... Ela arrancara a peruca e as luvas mas os olhos pintados de verde tinham mais do fauno do que os cornos retorcidos, largados na mesa. Apontou para Fernando: "Ela está de vermelho para te trair, é o vestido da traição, compreende?". Ele pôs-se a enrolar uma fita de serpentina no meu pescoço: "E daí? Fidelidade é virtude de cão. E ela é um carneirinho louro, não é, amor?". A serpentina me feria com uma delicadeza de navalha. Senti os olhos cheios de lágrimas, André, André!... Perdera-o de repente, tão de repente... Encolhi-me, envergonhada: o corpo voltara a ser o meu corpo e meu ainda o seio esquerdo que o vestido rasgado descobria. Fernando pediu um lenço ao Anjo e cobriu meu peito. O lenço alvíssimo cheirava a feno.

"Marfa, vá com ela ao toalete consertar isso", disse ele e Marfa obedeceu com uma energia inesperada. Sorria maligna, "Vamos!", disse agarrando-me por detrás, na altura dos ombros. Impeliu-me para a frente como se tivéssemos que enfrentar algum inimigo e eu lhe servisse de escudo. Ofereci o peito às balas. "Molhe os pulsos, depressa", ouvi-a dizer. Fui tropeçando em direção ao lavatório. Abri a torneira. O jato gelado corria pelas minhas mãos que foram ficando insensíveis. Molhei a cara, a nuca. Queria vomitar. Sentei-me e enxuguei-me com o lenço do Anjo, o perfume tão limpo. "Continue respirando fundo", ordenou ela inclinando-se sobre mim. Fiquei imóvel. Os pontos com que consertava a alça do meu vestido cruzavam-se numa fúria cega. "Vamos continuar a festa no apartamento da Diana, mas não fique negaceando, resolva de uma vez!" Quis perguntar-lhe, resolver o quê? E vi-lhe as pupilas dilatadas como duas maçanetas de porta. Tive medo.

A lucidez já ameaçava como uma dor fina que me varou as têmporas. Olhei em redor: eram grotescas as imagens das mulheres nos espelhos, agora que elas se expunham sem disfarces, desabotoados os botões apertados, afrouxadas as cintas apertadas, relaxamento de caras e bexigas num *intermezzo* que cheirava a suor, perfume e urina. Estendida no sofá estava uma jovem vestida de vampiro. Dormia tranquilamente, a longa mortalha chegando-lhe até os pés descalços e sujos. Tinha as unhas pintadas de roxo e um ramo de violetas murchas no peito. Parecia uma antiga morta que alguém esquecera ali.

"Estou me derretendo!", queixou-se uma moça ao entrar. Estava vestida de marujo, arregaçado o blusão deixando à mostra o estômago muito branco e úmido, no qual estavam grudados confetes vermelhos. Com a escova, tentou dar aos cabelos curtos um toque arreliado de rapaz. Contudo, por mais que fizesse, prevalecia a fêmea sob as largas vestes de lobo-do-mar. Pensei no Anjo tão naturalmente hermafrodita, sábia mistura dos dois sexos que ora mostrava uma face, ora a outra como a capa de seda do homem de Watteau, ora o azul, ora o rosa, era indiferente.

"Vale por um banho turco", disse Marfa, abrindo o zíper da malha e despindo-se até a cintura. O tecido pendeu molemente como uma pele murcha de fauno e sob a qual nascia a pele nova. Alguém vomitava dentro do reservado. Acendi um cigarro e soprei a fumaça para o espelho. Através dele vi que entravam duas mulheres fantasiadas, duas gatas de meias rendadas e carapuças de veludo preto. "Ele é jovem demais, eu sei, mas acho melhor assim", disse a mais velha das duas. A companheira parecia completamente distraída. Tinha um enorme rombo na meia, bem na altura do joelho. "Mas quantos anos ele tem?", perguntou retocando a boca. A gata velha vacilou diante do espelho. Arrancou a carapuça e com as pontas dos dedos eriçou os cabelos avermelhados. A pele do rosto era esticada e fina como papel de seda prestes a se rasgar mas tinha mãos terrivelmente velhas. "Uns vinte e dois ou vinte e três no máximo... Mas você acha que isso faz diferença?", perguntou fixando-se na própria imagem. A cara repuxada demais tinha no contorno qualquer coisa de uma múmia. Pensei em Eduardo e sorri para Marfa que refazia a pintura dos olhos. Entendia agora o que me ordenara: em meio do ciúme ela queria, com todas as forças queria que eu me entregasse a ele. Precisava de mim para isso, "Não fique negaceando!".

Tirei os sapatos e fechei os olhos. "Marfa, não quero", pensei dizer-lhe. Mas ela não ouviria porque em redor crescera o burburinho como água numa pia transbordante. Entre as vozes, destacava-se a da mulher-gata, uma voz meio fanhosa, gasta: "Eu disse ao médico que me tirasse uns vinte anos. Ele quis ser simpático, tirou trinta, fiquei quase adolescente outra vez, outro dia um caixeiro me chamou de mocinha... Tem que ser mesmo com um tipo de vinte e poucos, que diferença faz? Esses homens de quarenta já estão...". A voz mergulhou de repente para vir à tona em seguida, mais alta: "... e a verdade é que de tanto lidarem com mulher eles vão ficando como nós, afeminados. Já reparou que homem muito mulherengo acaba com quadris? Até quadris eles criam, já reparou? Até seios... A gente tem que aproveitar quando ainda jovens...".

Fiquei sorrindo e pensando em minha mãe. Tão deusa, tão inacessível, as vinte mil léguas submarinas longe daquela vulgaridade que se pintava diante de mim. E o mesmo triste lado humano na sede de mocidade, o mais velho sempre sugando o mais jovem na ânsia de alguns anos mais... E como ela soubera manejá-lo, com que finura conseguira atraí-lo criando o místico clima de incesto. A sonsa. Mas a mim não iludia da mesma forma que a mulher-gata não iludia aquele espelho: era eu o espelho da minha mãe, em mim ela se refletia de corpo inteiro. Senti um calafrio. Levantei-me. O suor corria pelo meu pescoço. E se eu fosse um espelho deformador de imagens como o espelho louco do parque de diversões?

Fui recuando de costas. Se conseguisse sair dali, poderia ser salva mas tinha que ser já. Contornei a poltrona. Esbarrei numa moça vestida de Pierrô que cantarolava em meio de uma nuvem de talco. Descerrei a porta. Recebi em cheio o bafo ardente que vinha do baile. Então ouvi a voz de Marfa mas tão longe que parecia vir do fundo do espelho, "Raíza, aonde você vai?".

Fui envolvida num bloco de palhaços. Desvencilhei-me e entrei numa ciranda de bêbados em meio dos quais distingui, em pânico, o dominó roxo que me conhecia. Fugi agachada como uma barata passando por debaixo de uma porta. E caí nos braços de um homem calvo que tentou prender-me, "A loura de vermelho que eu procurava!...". Deixei nas mãos dele um punhado da franja do vestido e prossegui fugindo até tropeçar em dois corpos fundidos junto de uma coluna. Tombei de joelhos em meio de um desfalecimento. Onde estaria a saída?! Alguém levantou-me por detrás. As mãos eram delicadas, tão delicadas que estremeci. Voltei-me. Um homem com cabeça de urso estendia-me os braços, "Fica comigo!". A voz era triste como os olhos lá no fundo dos buracos do papelão envernizado. O focinho ria numa alegria alvar mas esse era um riso desmentido pelos olhos que imploravam, "Fica comigo!...". Recuei. A enorme cabeça oscilava como a de um animal decapitado. Lembrei-me da história da fera de olhos pungentes, bastava beijá-la e ela se transformaria num príncipe. Sim, seria fácil amá-lo com aqueles seus olhos humanos. Mas quem daria o beijo em mim, quem?

Prossegui correndo. Quando alcancei a rua, encostei-me arfante numa árvore. Senti então uma inesperada paz. Amanhecia.

VI

Cortei a palavra *fim* que Marfa escreveu na última página do romance traduzido e levantei-me. Minha mão tremia. Fui à janela. Era por demais penoso fazer aquele trabalho que eu não amava. Mas não fazia o que amava. "Quando não faço o que preciso, faço ao menos aquilo que gosto, compreende?" Marfa costumava dizer. Abri minhas mãos. Quando elas voltariam a tocar?

Debrucei-me na janela. Lá embaixo, no labirinto dos quintais, o casal de velhos apareceu na escadinha de pedra. A velha fez um afago na cabeça do gato e sentou-se na escada. O velho aproximou-se do limoeiro — era um limoeiro? — e colheu uma folha. Levou-a à boca. Apareciam sempre assim, silenciosos e remotos como dois habitantes de um outro mundo. Não podia distinguir-lhes as feições e isso era uma garantia para mim, que ficassem mesmo distantes, tudo tinha uma certa beleza visto assim de longe, tudo, até as prostitutas da pensão que vinham conversar ao sol. Havia uma loura que costumava sentar-se numa cadeira vermelha e ali ficar fazendo tricô e secando os cabelos. Os cabelos eram tintos? E seriam limpas as alças da combinação? Eu não sabia. O espaço também me protegia, o que seria aquilo que o gato agora estraçalhava? Por que é que ele estava sempre estraçalhando alguma coisa? Um pouco mais que eu me aproximasse e já surpreenderia os passarinhos do viveiro com aquele ar aparvalhado de prisioneiros sem processo. Mas assim do alto, eram apenas pequenos flocos de penas que cantavam tão naturalmente, a dona dos óculos não precisava furar os olhos do sabiá para que assim ele cantasse melhor. O sol varou a nuvem e me alcançou. Saí da janela para procurar cigarros. O maço estava vazio. Na mesa de cabeceira, no cinzeiro, havia um toco maior do que os outros. Acendi-o e fiquei olhando para o meu pai no seu jardim. Que jardim seria aquele? "Então, alguém, que se escondia atrás de uma árvore, tirou este retrato..."

Limpei na blusa o vidro empoeirado. Por que a rosa em lugar do rosto? E o que ele queria tanto me dizer?

Aproximei-me da estante e tirei a Bíblia meio escondida sob uma pilha de livros. Li ao acaso. "Em ti, Jeová, me refugio. Livra-me e resgata-me; inclina para mim teus ouvidos e salva-me. Sê para mim uma rocha de morada; tu hás ordenado que eu seja salvo, porquanto tu és a minha rocha e a minha fortaleza."

Fechei-a. E senti-me subitamente animada. "Tu hás ordenado que eu seja salvo." Era uma ordem, não? Dirigi-me à cozinha.

— Dionísia, quero um café. Depressa, um café!

Ela estava inclinada sobre a mesa, separando os feijões em dois montículos. Achei-a parecida com o passarinho do sótão pronto para dar um bote nos grãos.

— A água já está no fogo. Senta aí e espera — disse ela sem se voltar.

— São esses os carunchados? — perguntei apontando para o montículo maior.

— Não, esses daí estão bons.

— Tanto assim, Dionísia? Você pensa que estão bons mas devem estar tão carunchados quanto os outros. Nenhum escapa...

Foi crescendo no silêncio o murmúrio da água que começava a ferver.

— Por que você não vai fazer alguma coisa, Raíza? Pregar botão na sua roupa?...

— Não uso botões na roupa — respondi apoiando o queixo na mesa. — Sabe, Dionísia, vou lecionar piano, já tenho quatro alunos.

Ela estendeu a toalha com morangos bordados nos cantos.

— Bom mesmo que se ocupe um pouco...

— Não era isso que você devia me dizer.

— Não?

— Não. Você devia me animar a continuar estudando. E devia dizer que eu toco tão bem que seria uma pena abandonar os estudos uma pessoa que toca tão bem assim. Aí eu responderia que não, que sou uma fracassada, melhor fazer outra coisa e mais isso e mais aquilo... Mas você contestaria, absolutamente, ainda está em tempo de reagir, imagine, um talento desses... Era isso que você devia me dizer.

Ela estendeu-me a xícara.

— Tome logo esse café e me deixe trabalhar que a janta está atrasada.

Aproximei a cara da xícara até sentir-lhe o bafo ardente.

— Dionísia, faça aquela sopa de macarrão com forma de letrinhas, lembra? Tinha o abecedário inteiro...

Desabava uma tempestade quando nos sentamos à mesa, só meu pai e eu. Minha mãe escrevia fechada no quarto, tia Graciana pediu apenas um chá, não tinha apetite. E tio Samuel dormia. Marfa não estava e agora eu já não sabia se nesse tempo ela ainda estava internada no colégio. Veio a sopa e comecei então a separar as letras nas bordas do prato, radiante por estar só com ele justamente nessa noite de tempestade e de sopa de abecedário. "Precisa haver lua, Raíza, precisa haver lua", disse ele. Cheirava a hortelã e falava tão baixo que eu mal consegui ouvi-lo. Não entendia por que precisava haver lua mas achei melhor não fazer perguntas e pedir apenas que tomasse a sopa enquanto eu ia procurando as letras. Escrevia o nome dele. Giancarlo é um nome difícil, o *n* e o *r* a gente não acha nunca, veja se estão aí no seu prato, eu disse. Ele levantou-se mansamente e estirou-se na poltrona. Mas você não vai jantar? perguntei. Erguendo devagar a mão espalmada, ele fez um gesto pedindo silêncio. Olhava fixamente para alguém que devia estar atrás de mim. Era tão forte seu olhar que me voltei também, mas não havia ninguém na sala. Ajeitei a almofada na sua nuca. "Precisa haver lua", repetiu ele antes de dormir. Foi quando apareceu minha mãe e me arrastou para o quarto. Quero acabar de escrever um nome, implorei, só faltam duas letras!... Estirei-me na cama, fingindo dormir só para afastá-la e acabei por dormir realmente. Ao acordar de madrugada, corri para a sala. Lá estava ele na mesma posição em que o deixara. Tirei seus sapatos e como seus pés estivessem gelados, apertei-os contra meu peito. Então vi seus olhos brilhando na escuridão.

— Dionísia, ainda tem daquele biscoito?
— Está aí na lata.
Fiquei roendo o biscoito e olhando o pequeno aquário em cima da prateleira, junto da janela.
— Por que você pôs o aquário ali?
Ela encolheu os ombros.
— Eu li num jornal que de vez em quando é bom mudar o aquário de lugar.
Um peixinho vermelho contornou o globo de vidro, seguido de perto por um peixe maior e mais escuro. Era verão também ali dentro? Desviei o olhar para o retângulo de céu

no fundo da janela. O sol devia estar no ocaso e a penumbra era agora tão doce que desejei ardentemente que Dionísia não acendesse a luz.

— E minha mãe? Saiu?

— Saiu.

— Mas ouvi passos no escritório... Quem é que está no escritório?

Ela deixou cair a colher. Demorou para responder.

— Eu é que sei?... — E noutro tom, acendendo a luz: — Esses dias andam curtos!

Levantei-me. Era como se uma luz tivesse acendido dentro de mim. André! Era ele que estava lá, como eu não percebera antes? Era ele, sozinho no escritório, à espera dela.

— Dionísia, Dionísia... E não me disse nada, hein, sua bruxa! Ele lá esperando...

— Dizer o quê? Mas a visita não é sua, ora... Raíza! Ele quer falar com *sua mãe*! Raíza!

Corri para o quarto e me olhei no espelho: o vestido branco, sem mangas e reto, descia pelo meu corpo como uma camisola curta. Cheguei a calçar as sandálias mas tirei-as novamente, iria assim descalça.

— Olha aí, Dionísia, não virei uma garota? Hein?

— Quanto mais você fica velha pior você vai ficando, cruzes! Você piora cada dia que passa.

— Um homem chamado Mauriac disse isso mesmo com outras palavras. Viver avilta, meu bem. Sabe o que é aviltar? Pois é, avilta. Quando eu chegar à sua idade, estarei como você, com dentes de ouro e chifres — acrescentei puxando-a pela cintura.

— Mas, Raíza, a visita é para sua mãe, você não tem nada que se intrometer... Raíza!

Entrei no escritório na ponta dos pés. Ele estava de costas, olhando através da vidraça. A mão ossuda, apoiada na janela, contraía-se tensa como se ele estivesse prestes a dar um salto. Tinha as unhas roídas até a carne.

— André.

Ele voltou-se. Umedeceu com a ponta da língua os lábios secos. E teve um meio sorriso que lhe deu à fisionomia uma expressão desamparada.

— Eu estava tão distraído — desculpou-se abotoando o paletó.

Você não estava distraído, pensei responder-lhe, você estava na defensiva. Preparava-se para uma luta. Era com o Diabo? quis gracejar. Contive-me. Não cabia agora nenhum gracejo.

— Acho que podemos enfim conversar. Ou não?

Ele escudou-se atrás da mesa. Baixou o olhar para os meus pés.

— Você está parecendo uma menina assim descalça...

— Gosto de andar descalça no verão — murmurei aproximando-me. — André, preciso muito falar com você.

Apesar da semiobscuridade da sala, notei que sua expressão estava agora mais firme. Ele se recompunha.

— Sim, precisamos conversar — concordou num tom de homem de negócios que vai ver se dispõe de algum tempo livre em sua agenda. — Mas vamos acender a luz?

Antes que ele chegasse ao abajur, segurei-lhe a mão por detrás. Por um rapidíssimo segundo ficamos de mãos dadas no escuro, imóveis e tão próximos que cheguei a sentir sua respiração. Mais um passo e poderia beijá-lo na boca. Contudo, mais profundo ainda do que o beijo era aquele halo espesso que nos envolvia e nos mantinha em suspenso.

— Anoiteceu — disse André desvencilhando-se. Acendeu a luz. — Não está melhor assim?

— Não, estava melhor antes — respondi acendendo um cigarro. Vi que minha mão tremia. — Por que você resiste tanto, André?

Ele parecia agora mais à vontade.

— Resisto a quê, Raíza?

Sentei-me. E achei melhor sorrir.

— André, André... Você tem minha idade, não?

— Dois anos mais.

Perturbei-me. Nunca imaginara que ele pudera se interessar em saber minha idade.

— Você parece mais moço.

— Estou velho — gracejou ele inclinando-se para as flores no vaso. — E a vida, Raíza?

— Um tédio.

Ele passou as mãos nervosas nos cabelos espetados e negros. Achei-o mais magro assim de escuro, ele tinha apenas dois ternos, um cinza-claro e um cinza-chumbo: esse cinza-chumbo, quase preto, era o mais conservado dos dois, embora o corte fosse o de um alfaiate provinciano vestindo o ajuizado estudante para a cidade grande. O estudante que se transforma em professor para poder viver independente dos tios que ficaram para trás.

— Mas por que vocês falam tanto em tédio, Raíza? Vocês todos falam em angústias, tédio, tenho três alunos que também só falam em *cafard*...

— Ah, quer dizer que chateação não existe?

— Existe — concedeu ele. — Mas é preciso canalizar tudo isso para o trabalho, aproveitar esses estados para se fazer alguma coisa de útil, o tédio também pode ser fecundo...

Estendi as pernas até tocar com as pontas dos pés na mesa. Ele devia estar acompanhando esse movimento com o olhar.

— Você gosta das minhas pernas?

— Ainda não tinha pensado nisso, Raíza. Mas acho que sim — acrescentou ele apanhando uma colherinha. Examinou-a. E riu sem vontade: — Se gosto das suas pernas, ora que pergunta!

Só então reparei na bandeja junto da parede, meio escondida pela máquina. Dionísia devia ter levado o chá um pouco antes da minha ida à cozinha. Protegendo os amores da sua deusa, não? Bruxa.

— Farei então perguntas mais distintas — comecei rapidamente, esforçando-me para não rir. — Você ainda mora na mesma casa, André?

— Ainda. Dona Petronilha tem sido tão delicada, tão boa. Uma verdadeira mãe para mim.

Todas elas querem ser sua mãezinha, poderia dizer-lhe. Principalmente a minha.

— E continua no mesmo escritório?

— No mesmo.

— Mas lá pagam tão mal!

— Não tenho nenhuma ambição nesse sentido, Raíza. Quero apenas me manter. Dou minhas aulas que também sempre ajudam — acrescentou ele olhando o relógio. — Por sinal, devo dar uma daqui a pouco, vou-me despedindo.

— Minha mãe já vem! Não vai esperar?

— Voltarei outra hora.

— Quer dizer que você não vai mesmo falar comigo...

Ele inclinou-se sobre a mesa numa atitude de interesse convencional. Cruzou os braços.

— Mas do que se trata?

Soprei na sua direção uma baforada de fumaça.

— Não sabe?

— Se você está se referindo ao que escreveu no meu caderno, devo dizer então que... Ora, Raíza — prosseguiu ele em meio de um risinho forçado. —, Tomou então minha pasta pela de outra pessoa? Foi isso?

Era enternecedor quando ele resolvia fazer seus gracejos. Um menino. Um menino envelhecido a se consumir de amor por Deus, por minha mãe, por mim. A mulher-gata do baile teria gostado de conhecê-lo.

— Tive que lançar mão do seu diário para me declarar, você se esquiva o tempo todo.

— Não é um diário, transcrevo ali os pensamentos que me tocam fundo — disse ele num tom enfático. — Nunca tive um diário.

Falava com voz forte, como se eu estivesse numa outra sala.

— André, meu querido, por que você não conversa comigo como conversa com minha mãe?

— E como é que converso com sua mãe?

— Baixinho. Você fala com ela tão baixinho... Sobre o que vocês falam tanto?

Ele inclinou a cabeça para trás.

— Sobre tanta coisa!... Ela está me ajudando muito. — Fez uma pausa mas prosseguiu meio atropeladamente para não perder o impulso: — Foi como se eu tivesse caído de repente numa valeta e não pudesse mais sair. Patrícia me deu a mão. Sei agora que foi Deus quem a enviou.

— Sua crise foi de fé?

— Não de fé, mas de crença, o que é diferente. Fiquei em estado de desespero, eis a verdade — prosseguiu ele baixando o olhar. Contraiu a boca. — Sempre foi essa minha natureza, Raíza, quando me entrego a uma coisa tem que ser de modo total, não consigo ficar no meio-termo, vou além dos limites, está me entendendo? Eu não poderia ser um meio padre, adaptado, digamos, fazendo concessões...

— Mas os padres estão agora assim tão esportivos, André, tão adaptados! Fumam, bebem, vão a teatros, têm amigas, não usa mais aquele tipo de padre antigo, esse que você quis ser. E então? Até fazem amor. Ou não?

— Você está se referindo a um comportamento superficial, isso não interessa. Eu falo numa tomada de posição interior, definitiva — exclamou batendo com o punho fechado na mesa. — O problema era saber se eu queria seguir a carreira sacerdotal porque tinha apenas resolvido ou se foi porque Deus pousou realmente Sua mão em mim.

— No ombro.

— Você faz ironia, Raíza. Essa é a diferença principal entre sua mãe e você. Patrícia atingiu a profundidade, lá onde a ironia não chega jamais, como escreveu Rilke. Ela não é irônica e por isso mesmo tem me ajudado como me ajudou — acrescentou ele voltando para mim o olhar ardente. Desanuviou-se sua fisionomia. — Sou mesmo um tipo fora de moda, medieval até, como você já disse uma vez. Sou assim. Ela me aceitou assim como sou. Devo-lhe a vida.

— Ela te ama.

— Raíza, não diga uma loucura dessas!

— Ela te ama, André, inútil ficar negando, ela te ama como jamais amou. E vai se conformar em te ceder, mesmo que seja para Deus?

Ele apanhou a pasta.

— Pensei que pudéssemos conversar mas você não permite.

— Espere, André, não fique irritado, estou tentando ajudar... Não quer mesmo saber o que está se passando?

— Preciso ir.

— Não fuja! — ordenei arrancando-lhe a pasta. Sentei-me e coloquei-a sobre os joelhos. — Você está precisando de uma pasta nova, será meu presente de Reis, dia cinco, não?

— Seis de janeiro.

—Ah, é verdade, dia seis... Onde você passou o Natal, André?

— Fui à Missa do Galo. E depois voltei para a ceia de dona Petronilha.

— Claro, dona Petronilha... Bonito esse nome, não? Vem de Petrônio. Petrônio, Petronilha... Tia Graciana também armou uma ceia e uma árvore com pedacinhos de algodão nos galhos fingindo neve. Não neva nos trópicos mas não faz mal, a árvore tem que ter aquele algodãozinho. São as convenções, não é, André?

— Raíza, preciso mesmo ir, já estou atrasado.

— Mas que pressa! Mais um instante só, pedi apontando para o bule. Quer me servir o chá?

Ele tocou no bule com o dorso da mão.

— Deve estar frio. E a única xícara eu já usei.

— Como você é formal, meu querido. Use essa xícara mesmo, não seja tão amarrado, até parece minha mãe.

Ele lançou-me um olhar dolorido.

— Se você soubesse como esse assunto me desgosta.

Recebi a xícara. E recostei a cabeça no espaldar da cadeira.

— Quanto mais firo os que amo mais vou ferindo a mim mesma. Perco os outros e me perco, não é curioso isso? Marfa acha que só poderei me encontrar fazendo psicanálise.

— Você vai se encontrar sem precisar dessas muletas, Raíza. Vai se salvar sem precisar de qualquer ajuda, estou certo disso. Um dia, de repente, dará consigo mesma e não se perderá nunca mais. Antes, terá que dar voltas e voltas até tomar o caminho certo, talvez demore um pouco.

Lembrei-me das rosas do pote verde: o pincel abrira sulcos tão profundos nas corolas que do labirinto já porejava o sangue.

— Tem que haver uma saída — murmurei encarando-o.

— Você é naturalmente bom, André. Mas eu, eu tenho que me policiar para ser boa, é forçada a bondade em mim. E tenho vontade de ser boa, mas tanta vontade!

— Isso já é quase tudo. O resto é simples.

— Quando você está ao meu lado, me olhando como está olhando agora, tudo fica realmente tão simples, tão fácil. André, não me deixe nunca!...

— Deus não a deixará, tenha confiança.

Levantei-me. Uma pequenina formiga ruiva boiou no chá. Coloquei-a ainda viva na borda do pires para esmagá--la em seguida com a mesma colher com que a salvara.

— Não tinha nada que vir comer o meu açúcar.

Ele teve um meio sorriso.

— Por que fez isso? É preciso poupar a formiguinha pois ela pode ter pai e mãe que hão de chorar sua morte prematura... Estou citando Shakespeare e para ser exato ele faz referência a uma mosca e não a uma formiga.

Estava demorando a segunda citação. Tomei um gole de chá e nesse instante, como me aproximasse mais, ele afetou interesse por um livro que minha mãe deixara em cima da mesa. Visto assim do alto o contorno do seu queixo parecia mais tímido, contrastando com a linha poderosa da fronte. Os lábios cheios eram sensuais mas a face cavada era a de um asceta. Mas se o rosto revelava-se assim tão contraditório, as mãos permaneciam coerentes na paixão que empalidecia os dedos e devorava as unhas.

— André, você tem mesmo tipo de padre. Um padre histérico e triste, que fica anos e anos punindo-se até chegar o dia da libertação. E será um dia terrível, de rasgar nos dentes a batina em mil pedaços...

— Para você é essa a única libertação? — atalhou-me ele fechando o livro com um gesto exasperado. — Eu preferiria que você não continuasse zombando de mim.

— Vamos, querido, relaxe um pouco, não fique sempre tão grave, saiba rir! Por que esse ar de Atlas sustentando o peso do mundo nos ombros? Somos tão jovens.

— Se juventude significa irresponsabilidade, pertenço então a uma outra geração. Por favor, a minha pasta, tenho uma aula.

Toquei-lhe de leve na mão. Senti os olhos úmidos.

— André, eu te amo.

Ele levantou-se com energia. Apertou o nó da gravata.

— Não, você não me ama, você cismou comigo, tudo não passa de um simples capricho — prosseguiu ele pondo-se a andar de um lado para outro como um animal enjaulado.

— Eu não pretendia dizer-lhe o que vou dizer, mas você fica insistindo. Pois bem, talvez seja melhor esclarecermos de uma vez por todas, o seu interesse por mim existe exclusivamente porque você desconfia de que sua mãe e eu...

— São amantes.

— Deixa eu terminar! — exclamou ele avançando. Fez um esforço para controlar-se: — Exatamente, é esse o seu juízo a nosso respeito e desse juízo nasceu essa ideia de amor. Mas você confunde amor com ciúme, tem ciúme dela e fica então a desafiá-la o tempo todo, atormentando-a de um modo incrível...

— Então a semideusa já andou fazendo suas queixas?

Ele me tomou pelos pulsos. E largou-os em seguida. Estava lívido.

— Nunca Patrícia fez a menor referência a isso, está me ouvindo? Jamais ela se queixou de alguém. Engano seu quando me chama de Atlas, o gigante é Patrícia a sustentar o peso desta casa nos ombros. Você não conhece sua mãe...

— Ora se!

Ele apertou os olhos e sua fisionomia suavizou-se de repente.

— Você não a conhece como eu.

— Está bem, mas nada disso interessa — exclamei aproximando-me. Abracei-o. — Eu te amo, André, e você me ama também, vamos, negue agora que me ama!

Ele ficou imóvel, os braços caídos ao longo do corpo, a cabeça inclinada para trás.

— Raíza, eu vou ser padre, já disse várias vezes mas parece que você não entende: *eu vou ser padre*.

Afastei-me. Deixei que as lágrimas corressem livres, não suportava mais contê-las. Enxuguei-as raivosamente no guardanapo.

— Mas não podemos ao menos ser amigos como você é amigo dela? Não falarei mais em amor, está certo, prometo não insistir mas quero ser sua amiga, preciso tanto da sua ajuda!

— Você não quer ser ajudada.

— André, não tenho mais ninguém...

Ele lançou-me um olhar gelado.

— E o Fernando?

Senti a cara arder. Baixei depressa a cabeça para que ele não notasse a alegria que se acendeu em mim. Com ciúmes?

— Já terminamos tudo, ele é um cínico. Só você poderá me dar a mão, só você!

— Mas como? Sendo seu amante? Vocês só pensam nisso, Raíza, você, Marfa e os outros que se destroem nessa vida estúpida, sem objetivo nenhum. Se ao menos trabalhassem a sério, se estudassem a sério... E o piano?

— Eu seria uma pianista medíocre.

— Sempre o orgulho. Por que haveria de ser medíocre? Por acaso já experimentou ir mais além? Experimentou? Já dizia Bergson, não podemos saber até a que ponto conseguiremos chegar se não nos pomos logo a caminho.

Apesar do desalento que se apossou de mim, tive vontade de rir. Era a terceira citação da tarde, ah, sim, sem dúvida seria um orador sacro riquíssimo de citações.

— A última vez que tentei tocar piano foi tão horrível que caí na maior depressão. Perdi a fé em mim, fiquei insegura. Se ao menos você...

— Raíza, eu já disse tantas vezes, a fé também é um hábito. Habitue-se a acreditar, concentre-se, pelo amor de Deus, concentre-se! Com isso fará sua mãe feliz, ela está magoada demais, não é justo magoá-la dessa forma, vamos, prometa que vai mudar, que vai ser uma moça responsável, reta...

— Nem sei mais rezar, você terá que me ensinar a rezar.

— Não são as preces que valem, são as ações.

Apertei a pasta contra o peito. Fiquei na ponta dos pés. Então fomos nos aproximando quase sem movimento até ficarmos um defronte do outro, ardendo tensos e altos como duas chamas iguais. O beijo foi profundo. Mas curto porque alguém gritou lá fora e ele estremeceu, recuando. Quebrara-se o encantamento. Entreguei-lhe a pasta que ele recebeu mudo, pasmado.

Voltei para o meu quarto e ali fiquei no escuro, apertando a boca contra a palma da mão. Ouvi seus passos mas seu andar perdera o vigor habitual: ele titubeava como se não encontrasse a saída.

As primeiras estrelas já se insinuavam no céu. Sorri para elas, feliz. Tentei relembrar mas só duas cenas devoravam as demais: o beijo profundo como aquele céu e a lembrança do repentino ciúme que vi por entre as palhetas de ouro lá no fundo do seu olhar.

VII

Marfa entrou no meu quarto sobraçando um pacote. Deixou-o na mesa e abriu a bolsa.

— Trouxe seu cheque. E mais esses três livros para traduzirmos, normas de bem viver, compreende? Precisamos decorá-las com urgência.

Estava sem pintura e parecia mais magra no seu vestido cor de areia. A cabeleira negra caía-lhe sobre a fronte no maior desalinho. Tirou os sapatos e deitou-se. Acendeu um cigarro.

— Eduardo vai casar, compreende? Vai se casar breve, já fui avisada.

Apertei com o polegar a tacha num dos cantos da gravura das rosas. Houve um dia em que elas me pareceram feitas de carne. Mas hoje eram apenas um punhado de rosas num pote. Cerrei as venezianas para que o quarto ficasse mais fresco. Era longo demais aquele verão. Era longa demais a vida. Seria bom morrer jovem, os deuses amam os jovens, André poderia citar na ocasião. Voltei-me para Marfa. E animei-me com sua tristeza.

— Quem é ela?

— Não tenho a menor ideia. E nem me interessa. O que interessa é que ele deixou de me amar.

— Mas ele chegou a te amar?

Ela cravou em mim os olhos estrábicos. E cobriu-os em seguida com o dorso da mão. Apanhei o pauzinho de cerejeira e comecei a limpar as unhas. De qualquer maneira um rompimento era sempre doloroso, mesmo num caso medíocre assim. Pensei em Fernando que há dias eu evitava. Em André que não aparecia há mais de uma semana, sumira completamente desde aquela tarde. Todos tinham desaparecido. Nossa antiga casa também ia desaparecer.

— Minha mãe já encontrou um comprador, avisou ontem que antes do fim do mês pretende fechar o negócio. Vai vender nossa casa, já pensou?

— Telefonou, queria falar comigo com urgência — começou Marfa com voz rouca. — Achei-o tão excitado que me excitei também, o que seria que ia me dizer de tão bom!... Vou-me casar, anunciou eufórico e faço questão de te dar a notícia em primeiro lugar. Um gesto delicado da parte dele, compreende? Muito delicado.

Calou-se voltando o rosto para a parede. Inclinei-me sobre ela.

— Quer tomar alguma coisa?

— Preciso ir ao meu bruxo.

— Ora, Marfa, não será preciso ir ao analista para saber por que ele vai casar com outra, eu lhe direi já, Eduardo é boêmio mas equilibrado, ele só se casaria com uma moça normal, acabou-se. Homem para casar com moças do nosso tipo tem que ter o espírito daquela gente do Exército da Salvação, sabe como é? Aquela gente por demais otimista, que canta hinos enquanto vai recolhendo esmolas num caldeirão. Ora, psicanalistas!

— Mas eu não me deito no divã para fazer essas perguntas, isso tudo eu já sei. Vou lá só para falar enquanto ele vai me ouvindo.

— Pois fale comigo.

— Você é má. E ele é bom para mim.

Fui à mesa e com a ponta do pauzinho de cerejeira, tentei seguir o labirinto da corola de uma das rosas da gravura. Achei que a rosa maior tinha um encanto perverso. Deixei cair o pauzinho.

— Nossa casa vai ser vendida.

— E daí? Você queria transformá-la em museu? Temos um louco na família e um louco é uma nota alta, compreende?

Um louco que há mais de um ano eu ensaiava visitar. E adiava a visita para fazê-la em sonhos e sempre da mesma forma: a lua diáfana do sótão tanto podia vir do espelho como do vestido de noiva de tia Graciana, emergindo da mala com sua grinalda fosforescente. Via tio Samuel recortando a Dama de Paus do baralho. Via meu pai limpando seus livros. Corria-lhe ao encontro e quando ele se voltava para me dizer o que tinha que dizer, vinha o passarinho empalhado e com o bico adunco, partia o espelho em mil pedaços. Restava o perfume de hortelã misturado ao de rosas e a lembrança do passarinho com seu doce olhar humano, naquela mesma expressão dos olhos do urso que encontrei no baile.

— Raíza, telefona para o Eduardo... Me ajuda!

Quis perguntar-lhe, para quê? Mas fiquei ouvindo em silêncio o ruído acobertado da máquina que recomeçou no escritório. Deitei-me de bruços ao lado de Marfa. Apanhei uma revista, abri-a ao acaso e fiquei a olhar estupidamente para o retrato de um antigo criminoso de guerra que fora capturado. Como seria o enredo do seu novo romance? Tia Graciana insinuara que desta vez a história era terrível. Mas tudo podia ser terrível para o labiozinho curto. Abandonara então os personagens ideais? Não importava, ela podia lidar com os mais baixos sentimentos e continuava a pairar sobre os miasmas do pântano, em permanente estado de levitação. Tinha seu jovem amante, sim, tinha seu amante mas era tão discreta que até os mais cínicos como Fernando duvidavam dessa ligação. "Vi sua mãe numa livraria", disse ele. "Eu ia me aproximar mas o jovem André rondava próximo, o próprio guardião das portas do Paraíso... Cumprimentei-a então de longe e ela sorriu, o que já é alguma coisa." Excitei-me. Você quer insinuar que são amantes? perguntei e ele arqueou as sobrancelhas, evasivo. "Não quero insinuar nada, amor, acredito até que eles sejam apenas amigos, com gente assim tudo é possível."

— Telefona, Raíza!...

— Ele vai querer marcar um encontro comigo, meu bem. É isso que você quer? Melhor ir ver seu bruxo, se calhar, poderá amá-lo um pouco. Seu bruxo é bonito?

— Um anão da floresta.

— Ora, mas nem isso?... Eu só pagaria para ter um belo homem na minha frente, um homem de olhar dourado fixo em mim, tão fixo que eu sairia do consultório toda dourada também.

— Sempre achei que ele não se casaria nem com a mãe, compreende? E de repente me aparece noivo — acrescentou ela baixinho, alisando pensativamente a franja. Encarou-me com curiosidade. — Você me detesta. Por que você me detesta tanto?

Levantei-me. Fui buscar a garrafa de conhaque e o cálice. Nem eu mesma ouvi o que murmurei enquanto abria a garrafa.

— Quer levar esse conhaque para você, Marfa? É da melhor marca, olha aí... Presente de Fernando, fique com ele e com Fernando também, fique com os dois, pronto. Que tal?

Ela deu uma risadinha. Levantou-se e começou a pintar os olhos diante do espelho.

— Um conhaque e um amante, duas lindas ofertas, principalmente o amante... E não vai se arrepender da doação?

— De modo algum. Quero amar André em estado de castidade.

— Impressionante, compreende? Impressionante como você está sempre representando, Raíza. Sempre representando mesmo sem querer, o que é pior ainda. Você e esse André, dois cretinos com essas representações, é de dar pena — acrescentou apanhando a bolsa. Apontou para o meu peito: — Mas seu melhor papel está aí dentro, compreende? Está aí.

Descerrei as venezianas. O sol tinha desaparecido por detrás de uma enorme nuvem branca. Lá embaixo, os quintais estavam desertos. Mas não estou representando, Marfa, estou sendo sincera! quis dizer-lhe. Voltei-me. Ela já não estava no quarto. Corri para alcançá-la mas o elevador acabava de descer. Perguntei a tia Graciana, E Marfa?

— Mas nem vi ela entrar, só agora estou saindo do quarto para buscar este chazinho, hoje amanheci indisposta, a enxaqueca... Quer tomar uma xícara comigo? — convidou ela com brandura. Era como se não me visse há muito tempo. — Venha, querida, comprei uns biscoitos deliciosos.

As cortinas estavam cerradas e na obscuridade de concha, tive a sensação de mergulhar num sonho. Olhei para o relógio de madrepérola em cima da mesinha. Há não sei quantos anos estava parado nas três horas.

— Ele não tem conserto?

Tia Graciana seguiu a direção do meu olhar.

— Ganhei esse relógio de papai, é uma peça de arte, mas nunca funcionou direito. Pat quis levá-lo para tentar mais uma vez. Não deixei, é inútil, tem relógios que só servem mesmo de enfeite, não é verdade?

No silêncio que se fez procurei ouvir a máquina martelando no escritório.

— Este livro decerto vai ser enorme, ela devia contratar uma equipe de escritores. Você conhece o enredo?

— Que enredo, querida? — fez tia Graciana erguendo o bule. Encarou-me: — Ah, sim, o enredo... Ela me falou no enredo mas superficialmente, você sabe, Pat é muito reservada. Quer com leite?

— *Une larme...*

O labiozinho curto teve uma contração graciosa.

— Você me fez lembrar agora sua avó, ela também pedia assim, uma lágrima de leite, apenas uma lágrima... íamos para o quarto e nessa horinha do chá, que era a melhor hora do dia, ficávamos as três conversando sobre tudo e sobre nada.

— Vocês três?

— Mamãe, Guilene e eu. Pat estava no colégio interno e mesmo quando saía não participava dessas prosas, nossas miudezas tolas não podiam interessá-la — disse num tom pensativo. — Mas isso é questão de temperamento apenas. Pat é uma flor.

— Também é opinião de André.

— Raíza, não!...

— Mas, titia, não seja cega. Eles se amam, jamais ela amou tanto na sua santa vida, não é assim que se deve dizer?

— Ela amou seu pai.

Contornei com as mãos a cintura do manequim de golinha de renda ajustada com alfinetes ao redor do pescoço. A fidelidade que ela conseguia mesmo das pessoas que mais ferira.

— Casou-se com ele para se livrar da família, não precisaria ter casado se fosse menos convencional, mas está claro que tinha que dar essa satisfação. Então casou-se. Calculou mal porque ao se libertar da família, veio-lhe em troca uma outra maior e mais complicada, um marido como ele, sem ambição e ainda por cima, viciado. Um cunhado demente, uma sobrinha cheia de problemas... E eu nascendo quando o casamento já estava estourado, ah, se ela pudesse livrar-se de todos como de uma ninhada de gatos, enfiar tudo num saco e jogar no rio!

— Esqueceu-se de incluir esta sua tia solteirona. Mas não se esqueça de que nunca pesei para Patrícia, tenho meus rendimentos próprios, querida, apesar do desastre financeiro, sempre herdamos alguma coisa.

— Mas não me referia a você que pesa tanto quanto isto — protestei apanhando o arminho de pó. Empoei as mãos. — Quer dizer que para ela só ficou aquela casa?

— E algum dinheiro que Giancarlo... Bem, ele era uma flor mas não tinha mesmo jeito para nada. Perdeu a farmácia, foi lesado numa firma, tudo para ele corria tão mal! E tinha ainda essa coisa de beber — acrescentou baixando a voz como se meu pai pudesse entrar a qualquer momento e ouvi-la. — As privações que Pat passou, a luta para equilibrar as finanças, até fome pode-se dizer... Ajudei no que pude, principalmente depois da morte dele. Era um sonhador, um romântico. Aliás, não posso criticá-lo porque nesse ponto também sou assim desprendida — confessou num suspiro. Acariciou com as pontas dos dedos a tampa do bule de prata. — Mas tome seu chá, está esfriando.

Apanhei a xícara. Uma folhinha veio à tona. Triturei-a nos dentes.

— Ela entrou num jogo errado. E não teve coragem de saltar fora.

— Depende do que você considera coragem. Para mim, ela demonstrou coragem justamente ficando.

Olhei surpreendida para o labiozinho curto que me enfrentava com firmeza.

— Mas, titia, basta ler seus livros... Em cada personagem há um pouco dela nessa ânsia de solidão, nesse desejo de fuga, todos se debatem em meio de armadilhas, ciladas... A luta é sem descabelamentos, certo, mas por isso mesmo ainda mais desesperada. Prisioneiros, titia, ela e eles, todos prisioneiros muito distintos, distintíssimos. Mas prisioneiros.

Tia Graciana ergueu o olhar até o lustre. Com a ponta do dedo, limpou uma lágrima.

— Ela amou seu pai.

Aproximei-me da vitrina cor-de-rosa. Uma leve camada de poeira cobria os cálices. Lembrei-me de que minha avó sabia fazer licor, uns licores adamados, com nomes mitológicos, Minerva, Orfeu... Vi-me no fundo do espelho da vitrina como se fosse feita do mesmo cristal rosado dos cálices.

— Eu não queria magoá-la, titia. Por nada deste mundo eu a magoaria.

Ela chorava silenciosamente enquanto ia tomando o chá.

— Não se importe, querida, é a enxaqueca.

Devia estar pensando em Simonian. Lembrei-me de um homem moreno e peludo, lidando com rendas detrás do balcão. Várias vezes acompanhei-a até a loja para comprar agulhas e linhas. E enquanto os dois conversavam baixinho eu contava os botões de uma enorme caixa que ele punha no meu colo. A loja cheirava a naftalina. Loja dos Dois Irmãos.

Deixei a xícara na bandeja. Tia Graciana enxugava disfarçadamente os olhos num retalho de seda cor de mel que tirou da cestinha de costura. O que poderia dizer para animá-la? E não era a ela que eu queria ferir, a ela que nada mais tinha, nada a não ser algumas lembranças tão esgarçadas como aquelas cortinas. Uma realidade apenas se destacava em meio da desolação: o Simonian de sobrancelhas densas e pulsos cheios de tatuagens azuis. Beijei-a. E pensando em ir para o meu quarto achei-me defronte do escritório da minha mãe. A porta estava entreaberta.

— Estou interrompendo?

Ela pousou as mãos no teclado da máquina. Tirou os óculos.

— Não, não está interrompendo. Quer uma xícara de chá?

Comecei a rir. E inclinei-me para cheirar o solitário botão de rosa espetado no vaso.

— Há bandejas de chá em todos os cantos desta casa, acho que nossa família tem raízes no Oriente. É ver a China.

Ela serviu-se, imperturbável. Havia duas xícaras na mesa, naturalmente Dionísia esquecera de que André estava ausente.

— E então, Raíza? Quais são as novidades?

— Faz tempo que não acontece nada, mamãe, a não ser este calor... — Mordisquei uma torrada. — Mas sabe, só mesmo nesse aspecto vocês duas se parecem, quero dizer, titia e você. Acho que é o único traço familiar entre ambas, um bule de chá. E também essa preferência pelas cores tímidas, vocês só usam o rosa, o lilás, o azul-claro, cores assim. Titia está cortando um vestido cor de mel.

Ela encarou-me. Usava uma blusa de percal com delicadas ramagens num fundo verde-água. Os cabelos presos. O rosto liso, limpo. Que espécie de beleza era aquela que parecia vir de dentro, tão mansa? Grave. Era incrível como enfrentava a claridade perigosa de um dia assim.

— Mas como está você, filha? Moramos na mesma casa e não nos encontramos nunca.

Encolhi os ombros. Acendi um cigarro.

— E o livro? Adiantado?

— Estou no fim.

— Diz que os antigos comiam folhas de louro para se inspirarem. Você também?

— Prefiro folhas de chá — respondeu ela arrumando os originais ao lado da máquina. — E o Fernando?

Descobri que havia algumas sardas na sua mão. E essas não eram sardas de sol. Esfreguei num desalento as solas dos pés no tapete. Por que aquelas sardas? As mãos iam envelhecer primeiro.

— E o Fernando? — repetiu ela escondendo as mãos no regaço, num gesto instintivo de proteção. Recuou um pouco, como se tivesse pressentido minha descoberta. — Ainda estão firmes?

Sentei-me. Por que aquilo tudo? Ela não devia ter medo de mim, não devia. Eu a queria jovem, em plena força, com todas as armas. Devia haver um creme para fazer desaparecer aquelas sardas... Tive vontade de ajoelhar-me e deitar a cabeça no seu colo.

— Não sei dele, mamãe — respondi com brandura. — Faz dias que não nos vemos. Resolvi me afastar, acho que acabou o amor.

— Há um outro?

— Mais ou menos... Um amor platônico, creio mesmo que sem maiores consequências. Ele me ama mas tem outro amor, espécie de partilha espiritual.

— E os estudos? Quer dizer que não vai mesmo continuar. Por que ela falava naquele tom? Por quê?

— Mas eu seria uma grande pianista?

— Só depois de muitos anos de trabalho você poderia ter essa resposta. Seria preciso antes muita dedicação, muito amor para que um dia você mesma saiba...

— Se venci? — atalhei-a levantando-me. — Quer dizer que só na velhice? Não, muito obrigada, quero a resposta já. Não suporto a ideia de passar a vida estudando para depois um Goldenberg me anunciar que não tenho vocação, que devo fazer outra coisa.

Ela pareceu concentrar-se num pensamento doloroso mas distante. Os olhos se apertaram cheios de uma ácida sabedoria. Mas a expressão não durou mais do que um brevíssimo segundo e logo a fisionomia ficou de novo serena.

— Ainda não chegou a hora.

— Que hora?

— Quando chegar você saberá — disse ela baixinho. O sorriso irradiou-se da boca para o olhar. — Você saberá, Raíza.

Voltei-me para a estante e abri ao acaso um livro. Mas senti seu olhar fixo em mim. Ah! como me irritavam aquelas expressões veladas de sábio do Sião conversando com a formiguinha! A dama esquiva. Se um pintor fizesse nesse instante seu retrato, tinha que batizá-lo assim, *A Dama Esquiva*.

— É bom este livro, mamãe? Abri justamente na página em que a heroína está se preparando para ir ver o amante, olha aí, então ela desligou o telefone e ficou à escuta, com a sensação de que alguém ouvira a conversa. As casadas usam lenço na cabeça e óculos escuros. As livres, usam apenas o lenço e assim mesmo, raramente, mais por causa do vento.

— Que livro é esse?

Recoloquei-o na prateleira.

— Mas de qualquer forma é uma chatice isso de se precisar recorrer a um apartamento para os devidos fins. A coisa teria outra graça se acontecesse sem planos, com a beleza do imprevisto como nessas fitas românticas, os dois galopando pelo campo afora, tudo tão natural, tão inocente. Na volta do passeio, cai então aquela tempestade. E adivinha onde é que eles vão-se abrigar, adivinha!

Ela abriu as mãos no teclado da máquina. Ficou séria.

— Não faço ideia, Raíza.

— No pavilhão de caça, mamãe, há um maravilhoso pavilhão de caça no meio do bosque, ninguém sabe de quem é mas lá está ele, com a lareira acesa e na frente da lareira, aquele tapete peludo, aberto como um convite. O fogo põe reflexos de brasa no rosto dela, que alegria! uma criança de alegre... Há vinho, pão, mas o pão eles comem depois, por enquanto, só bebem o vinho. E de repente, ficam em silêncio, olhando o fogo. E mais de repente ainda, se enlaçam. Então só fica na tela a lareira fazendo aquele barulho que pode ser também o arfar de carnes e roupas, até as roupas palpitam nesse pedaço. O fogo vai se apagando, apagando... E como cena final, a gente só vê uma pequena chama — veja se não é linda essa ideia — uma pequena chama já exausta, tentando lamber a lenha... Hein?

Ela baixou a cabeça.

— Acho que vi esse filme.

— Mas não é mesmo? Assim deviam ser os encontros dos grandes amantes. Gente como Marfa, como eu pode-se enfiar em qualquer porão, tudo bem. Mas uma criatura como você, por exemplo... Já pensou nisso? Entrar num prediozinho suspeito, meter-se num elevador com palavrões feitos a canivete na madeira, já pensou?... André também é outro que só combinaria no tal pavilhão do bosque.

Deslizando as mãos no teclado, ela tamborilou de leve nas letras. Na comissura da sua boca formou-se uma pequenina prega mais de cansaço do que de desgosto. A voz ficou mais profunda.

— Não sei se você sabe que André está saindo de uma crise muito grave.

— Ele me contou.

— E que quase lhe custou a vida. É um moço de uma sensibilidade doentia, cheio de inibições, traumas... E ao mesmo tempo, tão sem mistérios, tão puro. Menino ainda, perdeu o pai...

— Eu também perdi o meu.

— E a mãe foi viver com outro homem, nunca mais apareceu. Ele adorava a mãe, uma criatura que parece ter sido tão encantadora quanto irresponsável. Foi criado por uns tios sem filhos, gente mesquinha, fria, que o aceitou apenas por obrigação. Nessa casa ele cresceu completamente solitário, sem amigos, sem distrações. Apegou-se ao padre que morava na casa vizinha e que foi a única pessoa que o tratou com afeição. Começou a acompanhá-lo na igreja, ajudava-o na missa e acabou sendo coroinha, depois sacristão. Então se voltou para Deus mas com um ardor sem saúde, sem alegria. Entrou para o seminário. Um ótimo aluno mas lá dentro já começaram as primeiras dúvidas que teve quanto à vocação. Veio a primeira crise, veio uma segunda mais violenta ainda... Foi internado num sanatório, tomado da maior depressão, ficou muito doente. Quando melhorou, não quis voltar para o seminário sem estar certo da cura. Então deixou sua cidadezinha e veio para cá mas tão sem recursos que chegou a dormir as primeiras semanas num banco de jardim. Sem dinheiro, sem amigos...

— Sinistro, mamãe, sinistro.

— Até que conseguiu um emprego — prosseguiu ela com voz apagada. — Começou a lecionar latim, tudo em meio das maiores dificuldades. Foi quando leu meus livros e procurou me conhecer. Tenho feito tudo para ajudá-lo.

— Imagino.

Ela cravou em mim o olhar ansioso.

— Tome cuidado, Raíza, tome cuidado. Não devo entrar em pormenores mas quero apenas que saiba que ele ainda não está curado embora aparente às vezes uma certa segurança.

— Eu o conheço também, mamãe. Você me explica as coisas como se eu fosse uma criança, é tão divertido! Mas tudo o que você me disse eu já sei, que é um inseguro, um inibido, se calhar, virgem... Ele é virgem?

— Raíza, eu queria tanto que você conversasse comigo noutro tom.

— Mas se é este o meu tom! Estou seriíssima, mamãe. Queria saber apenas se você pretende fazê-lo desistir da ideia de ser padre.

— Não pretendo nada, filha. Sozinho ele terá que descobrir que o fato de não ter vocação não significa uma traição a Deus. Quero apenas ajudá-lo porque sei que no momento ele precisa de mim...

— Como meu pai precisou.

Ela aprumou-se na cadeira enquanto acendia um cigarro. Encarou-me novamente. Não tinha mais no rosto qualquer vestígio de emoção. Mas disse com voz nítida.

— Raíza, uma tarde assim azul não está pedindo um piano? Se decidir tocar deixe essa porta aberta, quero ouvir.

VIII

— Alguns passos lembram certos rituais dos cavaleiros da Idade Média — disse Marfa inclinando-se para o toca-discos. Enxugou o suor do rosto. — Olha aí, a gente faz assim...

Recomeçou a dançar. Tinha os pés abertos e firmes como se estivessem pregados no chão, só o corpo se movia num meneio que partia dos quadris, lento, grave. Foi baixando o tronco ao ritmo da música que se acelerava. Já de cócoras, o corpo ainda prosseguia ondulante num movimento de cobra metade erecta, metade enrodilhada. Aproximei-me e estendi o braço. Toquei-lhe no ombro direito e no ombro esquerdo, como se empunhasse uma espada.

Ela então tombou de costas, rindo. Debrucei-me na janela e tive vontade de rir também. A vida era tão maravilhosa, mas tão maravilhosa... Amo a vida! quis dizer. Lá embaixo no viveiro, um pássaro me respondeu com um grito cascateante, Amo, amo, amo!...

Por que eu tinha perdido o gosto da alegria? Era tão fácil ser alegre, bastava ser bom e a alegria já nos inundava como aquele sol. Bastava ser bom, André tinha razão, não era com orações mas com bondade que se atingia a doce paz dos santos. O querido André... Se ele estivesse ali, muito oportunamente citaria Spinoza, "Só a alegria é perfeita".

Senti os olhos úmidos. Se Deus me ajudasse eu voltaria a tocar com a alegria da minha infância, com aquele impulso que fazia Miss Gray se comover até as lágrimas, "Ela toca sob o efeito de um sortilégio!". Sendo boa para Deus, seria boa também para minha mãe, para André, todos precisavam tanto de bondade! Hoje mesmo à noitinha iria ao Ramirez para justificar a Fernando o meu afastamento, ele devia estar triste comigo e eu não queria que ele se entristecesse, era preciso não magoá-lo, não magoar mais ninguém! Devia estar na mesa com os outros, sempre os mesmos na mesma mesa, bebendo as mesmas bebidas: Eduardo, Diana, o Anjo, Rodolfo, Marfa... Quando eu lhe dissesse que ia romper com tudo para recomeçar uma outra vida, ele desataria a rir, "Já sei, o carneirinho vai me dizer que resolveu viver na castidade, não é isso?". Mais tarde, pensaria simplesmente, ela está com outro. Mas não importava o que ele pensasse, o que importava era não feri-lo, a ele que sempre me tratara com a paciência com que se trata um bichinho difícil.

— Marfa, estou tão animada! Sinto-me à beira de coisas tão importantes que vão afinal acontecer! É complicado explicar mas é como se eu estivesse a um passo da metamorfose.

Ela sentou-se no chão e mudou o disco. Uma voz um pouco fanhosa começou a cantar uma balada. Então ela acendeu um cigarro e ficou a olhar para os próprios pés.

— Acho que meus pés são muito grandes, compreende?

— Quero recomeçar sem olhar para trás, o que passou, passou. Romperei alguns laços mas sem ódio, quero que tudo se desenvolva sem violência... Está me ouvindo, Marfa?

Apoiando-se sobre os cotovelos, ela recostou a cabeça no almofadão que estava atrás.

— Você já rompeu esses laços milhares de vezes. E milhares de vezes voltou a atar tudo, compreende?

Fiquei a ouvir a música em deslumbramento: *"Ma belle, si tu voulais... ma belle, si tu voulais..."*. Milhares de vezes, certo, milhares de vezes prometera a mim mesma nascer outra vez. Mas essa vontade tão veemente já não era a metade do caminho?... Uma vontade que desfalecia a cada passo como uma linha interrompida, uma longa linha pontilhada, faltava apenas o traço final como arremate para unir os pontos.

— Ontem tomei um porre. Até agora não sei como Rodolfo e eu fomos parar no mar, quase nos afogamos, compreende? Fazia um calor... É doce morrer no Guarujá? Salgado à beça, voltamos podres.

— Mas não tomaram nenhuma droga?! Responda, Marfa, não foi a droga que vocês tomaram?...

Ela escorregou até o tapete de sol e estendeu as pernas para queimá-las. Fixou em mim o olhar indiferente.

— Bebemos só vodca mas não foi por virtude, foi por pobreza.

Sentei-me no chão, defronte dela.

— Marfa, tudo isso vai passar, eu sei que vai. Estamos saindo do casulo e essa é uma fase difícil, eu mesma retrocedo às vezes ao ponto de partida, perco a esperança, fico ruim de novo. Mas assim que o casulo se romper, temos que seguir em frente, com a coragem de não olhar para trás!

— Ha, ha, ha! Quem é que está falando em coragem, imagine.

— Está certo — comecei rapidamente — é preciso coragem para... — Hesitei. — Até para o vício, fui sempre uma covarde, fui pior do que você que pelo menos decidiu. Mas acabou-se, Marfa, descobri que sou livre, livre para escolher meu rumo como escolho uma roupa, esta. Somos livres.

— Só bobagem. A gente não é livre para escolher um botão, compreende? — Apontou-me, desafiante: — E se você acredita em Deus, como pode acreditar nisso de liberdade? Pois não está escrito que nem um fio de cabelo cairá da nossa cabeça sem que Ele saiba e consinta? Que conversa é essa? Dentro da sua própria doutrina, não adianta espernear, meu bem, desde o limbo nossas vidas já estão planificadas... Pensando bem, eu, que não acredito em Deus, ainda acredito mais do que você, compreende? Aceitei-me como ele me fez. Sou o que sou. Fim.

— Não, Marfa, não!... Está tudo errado, ouça agora, Deus existe mas existe também a nossa decisão, nós é que decidimos, a escolha nos pertence... Bons ou maus, é só nossa a responsabilidade. É por isso que somos capazes de luta.

— Mas com que armas? Quando dei acordo de mim, já tinha uma mãe enterrada, um pai louco e uma tia escritora, fina demais para me dizer abertamente que eu lhe pesava como um fardo de navio. E essa prima que me fala, ha, ha, ha...

Bati com os punhos fechados no chão.

— Deus nos faz sofrer porque esse sofrimento é necessário, temos que aceitá-lo como uma graça.

— Para meu gosto já fui por demais agraciada, compreende? Encolheu as pernas e pôs-se a acariciar os tornozelos. — Me queimei à beça, minhas pernas estão descascando, olha aí... Teve um sorriso estagnado: — Estou na metamorfose.

Comecei a me vestir. Como explicar-lhe, como? Era preciso ter paciência, acima de tudo, paciência.

— Estamos doentes, Marfa, apenas isso, doentes. Há um germe que se instalou em nós mas agora resolvi reagir, não quero mais esse vazio, não quero mais esse desespero, quero fortalecer minha vontade, ficar rica outra vez...

— Isso eu também queria.

— Quero amar, em qualquer tempo é possível o amor e no amor está a salvação, só no amor, Marfa! Só no amor.

Ela levantou-se e apanhou a escova. Os movimentos com que escovava os cabelos eram pesados como se empunhasse um remo e com ele fosse abrindo os difíceis sulcos na cabeleira espessa.

— Você sabe muita coisa, você sabe até demais, compreende? Da minha parte, só sei que vou morrer. E que vou endoidar de raiva se na hora da morte perceber que não me diverti o quanto poderia ter me divertido.

Apanhei a bolsa.

— Vou ver o tio, tenho pensado muito nele. Por que não vem comigo? É seu pai, Marfa. Vamos?

— Ele nem me conhece mais, compreende? Seria pura exibição da prática cristã uma visita dessas — acrescentou ela passando a mão pelo pescoço. — Deixo esses belos gestos para você, quero entrar agora num chuveiro que estou transpirando como um cavalo. E depois vou trabalhar.

— O que você está traduzindo?

— Não se trata disso, estou trabalhando num escritório, arranjei um emprego. Vou ajudar a tia a pagar esse sanatório, não é justo deixá-la com toda a despesa.

— Você arranjou um emprego?

— No escritório de uma firma com cheiro de petróleo. Pagam bem, compreende? Uma secretária competente, é o que eu sou.

— E você não me disse nada…

Ela teve um leve movimento de ombros. Encaminhou-se para o banheiro.

— Comecei há uma semana. Conto os detalhes depois, agora estou sem tempo.

Fiquei a olhar perdidamente em direção da janela. Para ajudar a tia a pagar o sanatório, foi o que ela disse. Devia ter rido de mim enquanto lhe falava nos meus retumbantes planos de bondade, perfeição. Planos. E ela já estava trabalhando.

Uma borboleta vermelha debateu-se penosamente contra a vidraça. Quando me aproximei para ajudá-la ela saiu em voo vertical e desapareceu por entre o verde do quintal dos velhos. O gato foi descendo a escada de pedra no seu andar de traição. Uma cigarra cantava.

"Que fazia você no verão?", perguntou a formiga. E a cigarra com voz dilacerada: "Eu cantava…". Mais de uma vez meu pai contou essa fábula mas era sempre minha mãe que eu via no lugar da formiga: "Pois cante e dance agora!". Ficávamos então os dois no meio da neve que ia nos cobrindo, Paizinho, como ela é má! Ele então pensava que eu me referia à formiga e ficava surpreendido ao me ver banhada em lágrimas. "Não chore, Raíza, depois a cigarra encontrou um buraco quentinho e lá ficou morando. Quer tomar um chocolate antes de dormir?"

Tropecei nos sapatos de Marfa. Coloquei-os lado a lado. E me lembrei de repente do que ela dissera quando éramos meninas: "Não sei por que essa embrulhada de pai e mãe, a gente devia nascer como os tomates, como as couves. Queria tanto ser um pé de milho bem verde, com aquele cabelo vermelho caindo na cara! Vamos brincar de pé de milho?". Corremos então para debaixo da videira e lá ficamos de braços pregados ao longo do corpo, os cabelos tapando o rosto, indo e vindo oscilantes como duas hastes ao vento.

Arrumei suas roupas na cadeira. Era preciso, ao menos, que não continuássemos como ilhas, nós que fazíamos parte de um só todo como aquelas bonecas de mãos dadas que tio Samuel recortava dobrando os jornais: bastava recortar a primeira e as seguintes vinham vindo formando uma corrente de bonecas, os mesmos vícios e as mesmas virtudes a se repetirem nas silhuetas iguais.

Minha mãe estava no quarto de tia Graciana. Apertei a bolsa contra o peito. Ali estava o pote de creme que eu comprara para ela, na bula que tive o cuidado de rasgar, estava escrito que com aquele creme as mãos voltariam a ter vinte anos, estava escrito. Comprara também o presente de tia Graciana: um lenço verde-malva com reflexos azulados. Minha mãe voltaria a ter suas mãos de vinte anos, era preciso que André admirasse também suas mãos. E tia Graciana ficaria radiante com o novo lenço para amarrar na cabeça, ah, como era bom se dar no amor embora assim, através de pequeninos gestos, miudezas menores ainda do que os espelhinhos e vidrilhos que eu guardava quando criança no bolso do avental. "Dentro da sua mesquinharia você tem às vezes uns rasgos de tamanha generosidade. Dá gosto ver…", disse-me Diogo certa noite, enquanto eu cuidava dele em meio de uma gripe. Diogo, Diogo. Que Deus o abençoasse onde ele estivesse, desejei concentrando-me. Onde ele estivesse com sua jaqueta de couro e olhos de dragão que dorme acordado.

Abri a porta do quarto de tia Graciana. As duas irmãs lidavam com o vestido cor de mel, alinhavado no manequim. Minha mãe segurava a almofadinha de alfinetes.

— E se descêssemos a cintura? — sugeriu ela enquanto punha os óculos.

Aproximei-me, beijei-as festivamente e voltei-me para o manequim.

— Mas está lindo! Titia vai ficar uma boneca!

Minha mãe lançou-me um rápido olhar de interrogativo cansaço. Parecia perguntar apenas: "mas é preciso?...". Baixei a cabeça e apanhei um alfinete que brilhava no chão. O tom, o tom é que estava errado. Mas por quê? Por que mesmo quando não era minha intenção ferir eu acabava ferindo? Hábito?

Tia Graciana ajoelhou-se para examinar a barra do vestido. Era como se estivesse falando para o manequim:

— Olha a Raíza com as zombarias dela...

Quis dizer-lhe que não quisera ser irônica mas não tive forças. Senti-me uma coisa miserável. Ofereci-lhe o alfinete.

— Eu faço isso num instante — disse minha mãe ajudando a irmã a levantar-se. — Baixando a cintura marcaremos então a barra — acrescentou deixando a almofadinha na mesa. Sorriu para mim. — Então? Vai passear?

— Fazer uma visita.

Ela desviou o olhar que me pareceu malicioso.

— Mas tão cedo assim?

— E daí? Suas personagens não fazem amor na parte da manhã? Às vezes resolve — acrescentei acendendo um cigarro. Quebrei o palito entre os dedos como gostaria de ter quebrado a mim mesma. — Você não acha que resolve?

— Não sei, Raíza, não estava pensando nisso.

Enxuguei o rosto com o lenço de papel absorvente.
Amarfanhei-o em seguida. Nunca o quarto de tia Graciana
me pareceu tão quente.

— Desculpe, mamãe, eu estava brincando...

Ela tirou os óculos. Guardou-os no bolso do vestido.

— Eu sei que você gosta de brincar.

Lancei-lhe um olhar desamparado. O que era agora?
Aproximei-me da mesinha de bibelôs e passei as pontas dos
dedos na cabeleira da Maria Antonieta. Comprimi o polegar
contra a mãozinha amputada.

— Você fica tão bem de azul, mamãe. Se fosse retratá-la em
música, escolheria Beethoven. *Sonata em Mi Bemol, Os Adeuses.*

— Essa sonata me emociona tanto — exclamou tia Graciana despindo o manequim. — Você tocava tão bem, Raíza, lembra?

Fiz um aceno à minha mãe.

— O Adeus, A Ausência e O Retorno. Têm o seu perfil,
mamãe.

Tia Graciana enlaçou-me pela cintura. Voltou-se nervosamente para minha mãe. E seguiu-me até a porta do quarto como se a casa acabasse ali e começasse além um território desconhecido.

— E eu? Que música eu lembro?

Senti que qualquer coisa se desmoronava dentro de
mim. Acariciei-lhe os cabelos.

— Você lembra Chopin, a *Valsa Brilhante.*

Deixei o pote de creme e o lenço dentro da gaveta da minha cômoda, ficaria para uma outra vez. Saí. Na porta do
edifício encontrei o velhinho asmático que ocupava o apartamento ao lado do nosso.

— E a mamãe? Está boa? — perguntou-me, rouco.

— Está ótima.

E sem saber por quê, imaginei-a nua. Pensei em André
sorrindo diante daquele corpo amadurecido sem pressa,
com a calma de um fruto que se desprende ao pressentir o
toque de mão à espera de que ele caia.

— Ela está para publicar um livro, pois não? Sou seu leitor dedicado.

— Todos nós somos.

Fui indo pela rua banhada de sol. "Logo você poderá tocar essa valsa", disse meu pai examinando o disco. Estávamos os dois na sala dos retratos da nossa antiga casa, sala dos retratos e das visitas que por sinal não nos visitavam nunca. Os móveis suntuosos, os objetos, os quadros — tudo tinha vindo na mudança de tia Graciana, remanescentes meio desaparelhados do famoso leilão na casa da avó. Havia na sala um delicado cheiro de mofo e eu me perguntava se esse cheiro vinha dos panos puídos das cadeiras ou dos vestidos negros das damas dos retratos. Sentei-me no chão para passar alvaiade nos sapatos, na manhã seguinte minha escola participaria de um desfile. Meu pai lia um livro mas de vez em quando erguia a cabeça e parecia dormir enquanto ouvia a música. O que é uma valsa brilhante? perguntei. Ele molhou o dedo no alvaiade do pires e tocou em seguida na ponta do meu nariz: "É uma valsa que brilha...". Dei risada mas na verdade tinha medo: debaixo da poltrona estava escondido um copo de vinho tinto. E se minha mãe entrasse de repente e descobrisse aquele copo? Escorreguei para junto da poltrona, pousei o sapato e enlacei as pernas. Agora ela não podia ver o copo, a não ser que viesse por detrás... Fiquei alerta para ao menos ouvir seus passos quando se aproximasse. Mas era só a valsa que ia e vinha rodopiando pela sala. E havia qualquer coisa de tão poderoso naqueles rodopios que aos poucos fui relaxando o corpo e não senti mais medo. Ele esvaziou o copo. Encheu-o de novo. Tornou a esvaziá-lo. E a valsa ia e vinha tão vaporosa no seu vestido rodado que acabei por fechar os olhos deliciada com o afago dos véus que roçavam como asas pelas minhas pálpebras.

Retardei o passo. A tarde também estava brilhante como aquela valsa mas o calor era o do inferno, os transeuntes a desfilarem pela fornalha com uma expressão de condenados, os rostos lustrosos, o olhar pesado. Um homem de terno branco esbarrou em mim. Caiu-lhe a pasta. Resmungou enquanto se inclinava para apanhá-la. A culpa fora minha e por isso pensei em voltar para pedir-lhe desculpas mas prossegui preguiçosamente pela rua afora. Para que desculpas? Fazia calor e era cansativo ser amável num calor assim. A vontade queria o ócio. O corpo queria nudez. Voltei a cara para o céu ardente. Poucas nuvens mas a tempestade já conspirava no ar. Melhor escolher um outro dia, não? Afinal, tio Samuel não me esperava mesmo, talvez fosse até aborrecê-lo com a minha presença, os loucos estranham às vezes a invasão no mundo deles.

E para que visitá-lo se ninguém ia mesmo tomar conhecimento dessa visita? Minha mãe, por exemplo, nem acreditaria. É cedo para visitas, estranhou. Mas se eu fosse à tarde, não teria dito nada, ela preferia as tardes para seus encontros. Mas onde?... Em algum quarto alugado numa mansarda, a palavra soava bem, mansarda. A não ser que a dona da pensão quisesse realmente ser mãe e fechasse os olhos quando chegasse a mãe espiritual. Tão distinta essa mãe! Ao invés de bebidas, os dois deviam tomar chá, o brasão da nossa família precisava ser modificado, em lugar da lança o leãozinho devia ter na pata um bule de chá. Tive vontade de rir. A desconhecida que cruzou comigo na esquina sorriu também com seus dentes de ouro.

Pensei no espelho do sótão. Podia ainda, pela última vez, ver-me nele, pela última vez antes que os novos donos se apossassem da casa. Era preciso vendê-la. Mas antes eu me sentaria na sala e ficaria ouvindo a conversa silenciosa dos mortos dos retratos. Na moldura maior, a avó com o mesmo labiozinho curto de tia Graciana. Abanava-se com o leque e parecia desatenta. Mas o avô estava sério, encarando com desdenhosa frieza o fotógrafo que lhe sugeria que enfiasse as pontas dos dedos — só as pontas — no bolsinho do colete. Na espaçosa fronte jovem ainda, nem o mais remoto sinal dos vincos que se cavariam quando ele descobrisse de repente que "Fica... mos a... a... arruinados!". A tia-avó de sobrancelhas densas, aquela famosa tia-avó que sabia ler o futuro nas cartas, parecia grande demais para caber dentro da moldura oval. Então se encolhia meio constrangida, uma certa sombra agourenta pairando nos olhos desvendadores, "Vejo agora um desbarate nas finanças!". "Baratas?", estranhava o tio-avô meio surdo, inclinando a cabeça para a mulher. Dentro da sua moldura de folhinhas de ouro, a prima poetisa que morreu solteira suspirava o poema que tia Graciana sabia de cor: "Carregamos como plumas os segredos!...". E enquanto ia recitando, lançava o olhar dolorido para a esquerda onde tio Rômulo, o que morreu no mar, sorria muito satisfeito no seu elegante terno de verão: "Belo tempo para uma pescaria, não concorda, prima?". Mas a prima poetisa pensava em outra coisa. E ele sorria brejeiro enquanto acariciava o bigode, tentando vislumbrar através das molduras o retrato de tia Olímpia, propositadamente colocado bem longe numa ingênua tentativa póstuma de interromper aquela ligação. Era a mais bonita de toda a pirâmide de retratos. "Eu te amo, Rômulo, eu te amo!", ela parecia repetir obstinadamente com o olhar, só com o olhar porque a pequenina boca o caruncho já tinha devorado. "Mas manteremos as aparências, custe o que custar!", prometia o marido grisalho, ameaçadora a expressão de quem está disposto a lavar "com sangue, ouviram bem? com sangue!" a honra da família. Só Guilene não dizia nada, o medo a se enlear com o sonho na fisionomia de quem vai morrer logo e nem na morte descobrirá o remetente da grande braçada de lírios que lhe cobriu o caixão.

Enxuguei o suor da testa. Não, não iria visitar o tio, melhor não perturbar os loucos com a minha presença. Pois se nem com os outros eu conseguia comunicar-me... "Por que não nos deixa em paz?", foi o que sugeriu minha mãe.

Fiquei sob a sombra de uma árvore. E agora?... Defronte, pregado no esqueleto de um prédio em construção, havia um imenso cartaz no qual um homem de camisa amarela anunciava eufórico uma cerveja. Senti a garganta seca. Seria bom estender-me em lençóis e encostar a face num copo gelado, ouvindo a mais vadia das músicas, dessas que não perguntam nem respondem enquanto os pensamentos acabam por cair exaustos como formigas afundando no mel. Ele chegaria amável mas intrigado. Eu lhe diria então que minha presença ali não significava um reatamento, ao contrário, estava mesmo disposta a romper. Apenas achava melhor romper aos poucos, como um atleta que mesmo depois de ter chegado ao fim da corrida ainda prossegue correndo um bom pedaço até cair na marcha normal. Mais tarde iríamos ao Ramirez, como sempre. Lá encontraríamos Eduardo com Marfa. E ela não se surpreenderia ao me ver de novo com Fernando como eu não mostraria surpresa ao vê-la com Eduardo, "Continuamos, compreende? Ele tem a noiva, eu tenho Rodolfo. Já estou começando a acreditar que a traição é o sal do amor".

Tudo igual. Poderia dizer-lhe, também sou traída, Marfa, de uma forma ou de outra, Fernando e André estão me traindo mas estou conformada, já vi que não variam as regras do jogo. Temos apenas que prosseguir descendo a escada. Lembra-se dos primeiros degraus? Tão inocentes... Basta, no entanto, transpô-los e a descida vai ficando abrupta, fechada como nos círculos de um sorvedouro. Voltar pelo mesmo caminho é difícil, até perigoso, estamos muito comprometidas, comprometidas demais. A solução é prosseguir descendo e acreditando que a parte superior da escada desmoronou simplesmente.

A solução para os desesperados. Mas eu tenho esperança, pensei avançando para o cartaz. Enxuguei as mãos úmidas. Também o cartaz parecia verter água. O homem de camisa amarela e copo na mão tinha qualquer coisa de Fabrízio na sua lancha. Um programa lindo de matar... A penumbra, a música. E Fernando ironicamente terno: "O carneirinho voltou!".

Continuei andando. Não presto, está acabado. Natureza tão ruim que qualquer semente má se desenvolve em mim com tamanha exuberância que quando acordo, já sou inteira a semente. Tive vontade de fumar, cheguei a abrir a bolsa. Fechei-a de novo com força. Mas por que não presto? E se resolver o contrário? Pois não posso? Não sou livre para decidir? Há quantos meses resistia?

Vou fazer uma visita a tio Samuel — não foi o que eu disse a Marfa e a minha mãe? Marfa ficou indiferente e minha mãe duvidou. Mas por que tinha que duvidar? Por que tem que achar que só penso em sexo?

Acenei para um táxi. Ela duvidara e isso atingia fundo quem representava o tempo todo como eu. Marfa estava certa, eu só agia em função das pessoas em redor. Caso contrário, que importância tinha que acreditassem ou não em mim? Se não mentia, se realizava o que me propusera desde as coisas mais insignificantes até as mais decisivas — que importância tinha se viesse o aplauso ou a vaia?

Fiz sinal para um segundo carro que resolveu parar.

— Vá seguindo pela avenida — eu ordenei. Calei-me. E então?... Tinha que decidir depressa porque através do espelho o motorista já interrogava, impaciente. — Dobre agora à direita, por favor...

Baixei o vidro da janela e ofereci a cara ao vento. O homem voltou a exigir uma definição:

— Mas para que rua você quer ir?

Dei-lhe o endereço.

IX

Chamei-o e ele atendeu. Traga sanduíches, almoçaremos aqui mesmo, eu disse. Ao desligar o telefone, fiquei pensando que minha mãe tinha razão quando estranhou, "Tão cedo assim?...". Fechei as venezianas. Pronto, não importava que lá fora continuasse o sol se já era noite no quarto. Acendi o abajur. No quarto de Fernando, um novo instantâneo dele preso ao espelho em cima da cômoda. Estava de camisa esporte, rindo. Aquele fundo meio nebuloso seria uma praia? Na minha ausência aparecera ainda um cinzeiro de bronze, em formato de ferradura. E um coelhinho felpudo, sentado nas patas traseiras, com os dois dentões de fora: os pequenos objetos marcando a passagem de alguém. Voltei-me para a cabeça fria de Germaine. Só ela sabia mas calava. Passei as pontas dos dedos sobre o mármore das suas pálpebras. Era novo ali o livro sobre a Coreia. E uma agenda com alguns papéis que envelheceram nos bolsos. Ao lado, um botão preto guardando ainda nos furos uns restos de linha rompida. Um pente amarelo e limpo. Cheirava remotamente a feno, a lavanda que o Anjo usava.

Deitei-me. Um pouco mais que pesquisasse e encontraria, ao acaso, vestígios de Marfa, Diana... Conveniente, pois, limitar-me a olhar o teto. Ou ir embora. Mas eu sabia que precisava ficar até Fernando entrar por aquela porta. E só partir depois de ver ainda uma vez que a posse sem amor é a mais triste das coisas.

Quando ele chegou, beijou-me com ardor, "Já estava inquieto, por que vales e montes andaria este carneirinho?...". Mas eu não representava, ele viu logo que era natural o cansaço, a tristeza. Então me amou com maior intensidade, sabendo que a nossa aventura chegara ao fim.

Abri o pacote de sanduíches enquanto ele abria a garrafa de vinho tinto. Arrumei a mesa. Meus gestos tinham o capricho nostálgico de quem executa um ritual pela última vez. "E aquele padre frustrado?", perguntou ele. Coloquei as azeitonas no pires. Deve estar viajando, respondi abrindo as janelas. Sentamos um defronte do outro. Bebemos com sofreguidão. "É por ele que você está apaixonada?" Ofereci-lhe um sanduíche. Cheguei a pensar que sim, respondi. Mas vejo agora que não amo nem a ele nem a ninguém. Gosto dele assim como um irmão, disse e pensei em Diogo. "E não lhe passou pela cabeça dormir com esse irmão?", perguntou Fernando mordendo o sanduíche. Mastigava devagar, o olhar baixo e risonho. No começo, sim, respondi. Mas agora sinto por ele um afeto calmo, branco. É você que às vezes desejo ainda... Mas só às vezes, cada vez mais raramente. Hoje fui tentada e não resisti, ao invés de ir ver tio Samuel, vim reto para cá, como se me puxassem pelos cabelos, acrescentei apertando a cabeça dolorida. Ele voltou a encher os copos. "Mas é preciso mesmo resistir?"

Vesti-me. E ajoelhei para procurar os sapatos que deviam ter rolado para debaixo da cama. Fernando, estou me propondo uma nova vida, comecei sentando nos calcanhares, um sapato em cada mão. Vocês homens são tão mais fortes do que nós, na maior desordem, mantêm um certo equilíbrio. Mas as mulheres do grupo, não percebe?, as mulheres não têm medida, vão ao fundo e não voltam mais.

Ele me ajudou a calçar os sapatos. "Entendo, meu bem, entendo. Mas vai precisar de um objetivo para sustentar essa... essa sua revolução interior, como diria o André. E que objetivo será esse? A música?" Beijei-lhe a mão que cheirava a uísque e fumo. Estou me despedindo, Fernando, é só isso o que sei.

Duas vezes tive que me conter para não lhe falar sobre o pente amarelo que o Anjo esquecera em cima da cômoda. E nos outros objetos marcando a presença de vagas mulheres, ah, era preciso que nenhuma palavra ou gesto quebrasse a harmonia desse último encontro.

Quando nos despedimos na rua, ele beijou-me na boca. "Vida, doçura e esperança minha, venha sempre que quiser", sussurrou afetando cansaço. "Mas, por favor, menos dramática!" Fiquei imóvel no meio da calçada até que o carro no qual ele ia se misturasse aos outros.

Voltei-me para o espelho: uma moça magra e loura, os pés descalços manchados de talco. E os cabelos escorrendo água. Enrolei a toalha na cabeça. Por mais banhos que tomasse persistia o cheiro da memória, ah, se eu pudesse limpá-la, tirar dela ao menos a lembrança dessa manhã. Precisava ter ido? Mais do que o ato em si desgostava-me aquela minha vontade que desfalecia a cada passo: a linha interrompida. Quando eu a uniria num traço único?

"Foi num domingo azul, no parque...", começou a cantarolar tia Graciana. Encontrei-a na cozinha com seus trajes ligeiros, misto de vestidos e roupas íntimas meio encobertas por uma bata também indecisa, que fazia pensar numa antiga saída de baile.

Parou de cantar assim que me viu.

— Você anda pálida, Raíza. E tão magrinha, parece uma menina.

André dissera isso mesmo, parece uma menina. O tempo ia me reduzindo, fazendo-me menor, mais fina.

— Sempre emagreço no verão — respondi oferecendo-me para abrir-lhe a garrafa de água mineral. — E o vestido novo, titia?

Ela suspirou.

— Não pude trabalhar muito com essa dor de cabeça, dói tanto aqui, bem em cima das sobrancelhas, está vendo?

Fiz com as pontas dos dedos uma massagem no lugar onde ela indicara. A pele muito fina era um papel de seda amarrotado que tentei alisar.

— Pronto, titia, a dor agora vai desaparecer.

Ela sorriu descrente.

— Você é uma flor, *merci*!

— Vamos um dia desses fazer um programa, hein, tia? Iremos ao parque de diversões com o seu cavalheiro de olhos azuis, oh! o cavalheiro do parque — cantei, imitando-a. — Ele nos levará à roda-gigante, ao trem fantasma... Hein?

Imaginei-a soltando gritinhos diante do enforcado balouçando no desvio. E cobrindo a cabeça quando em meio da escuridão sentisse persegui-la os fiapos dilacerados das teias de aranha. Sim, iríamos ao parque. Mas não havia mais parques. E por onde andariam os cavalheiros?

Tia Graciana sorria enquanto ia dissolvendo uma pílula dentro do copo.

— Eu gostava tanto da Pesca Maravilhosa...

Inclinei-me sobre o aquário que estava agora em cima da mesa. Um peixe rajado fez um volteio na tona d'água para mergulhar em seguida até o fundo.

— Esse peixinho é novo, eu ainda não conhecia.

— Comprei ontem, não é gracioso? Um ajudante para Dionísia.

— E o que é que ele faz?

— Nada...

Enlacei-a rindo e ela riu esquecida da dor, da pílula no copo e do vestido cor de mel inacabado.

— Que é que vocês estão fazendo nesse escuro — estranhou Dionísia ao entrar. Acendeu a luz.

Tia Graciana teve um bater aflito de pálpebras. Contraiu o labiozinho curto, escondendo os dentes.

— Vou-me deitar um pouco — gemeu apanhando o copo.

Mergulhei a mão no aquário. O peixinho vermelho fugiu seguido pelo rajado. O menorzinho parou para me olhar.

— Dionísia, que dia é hoje?

— Dia de torta de abacaxi.

— Então é um dia importante — eu disse e lembrei-me da flor seca com uma data escrita a tinta nas pétalas: Quinze de Maio. Dionísia, você sabe o que aconteceu no dia quinze de maio?

Ela apalpou o turbante branco como se quisesse certificar-se de que ele estava ainda ali. Não respondeu. Tirei uma folha de alface do prato e mergulhei-a no aquário.

— Agora eles vão ter um esconderijo.

— Você ainda mata esses peixes, Raíza.

— Eles estão muito expostos, os pobrezinhos. Se cometerem pecados, não têm nenhuma moita para se esconder.

"Que fizeste, que fizeste?", o Senhor perguntaria. Então eles fugiriam para debaixo da folha e lá ficariam enfurnados.

— Mas que pecado pode ter um peixe? — perguntou ela lavando pensativamente as folhas da alface.

Contornei o aquário com as mãos.

— Nunca se sabe, Dionísia. As tentações estão por toda a parte, teve um santo que precisou morar dentro de um túmulo para fugir ao demônio.

Ela encarou-me, interessada.

— Que santo foi esse?

— Também não sei.

— Mas nem sepultura o demônio respeita — disse ela baixinho. — Soube do caso de um demônio que foi encontrado se banqueteando no cemitério, sim senhora, se banqueteando com um feitor que tinha morrido na véspera. Minha avó que foi escrava contava sempre essa história, que o coveiro ouviu de madrugada um barulho esquisito, foi ver o que era. E ele que era preto ficou cinzento de susto quando viu o demônio mais o feitor, bêbados de cair, dançando em cima da cova.

— E o caixão vazio?

— O caixão vazio. Diz que o feitor foi carregado para o inferno de corpo presente. — Fez uma pausa. E abrandando a voz: — Minha avó, que morreu velhinha, acendia o pito e ficava perto do fogão com a gente em redor, contando casos. Ajudei-a a lavar as folhas na bacia cheia d'água.

— Você se lembra dos meus avós, Dionísia?

— Lembro bem da Dona Marta que tinha esse mesmo jeito da sua tia, falava igual criança. Gostava muito de festas e de igreja, tinha na missa uma cadeira estofada só dela, ali ninguém mais podia se ajoelhar.

— Eu também gostava tanto de igreja, íamos à missa todos os domingos, lembra, Dionísia?

— A gente pode ficar sem comer, mas quem vive sem Deus? Quem?

Interrompeu a frase e voltou-se para minha mãe que chegava. Ficou olhando minhas mãos mergulhadas por entre as folhas que flutuavam na bacia.

— Dionísia, será que você podia servir o jantar um pouco mais cedo? Preciso sair em seguida — disse ela procurando fósforos. Estendeu-me o maço de cigarros. — Já conhece esta marca?

— Deixei de fumar, mãezinha.

Ela fez um muxoxo.

— E o que mais você deixou de fazer?

Enxuguei as mãos e escondi-as nos bolsos. Era mais um gracejo do que propriamente uma ironia mas agora eu não estava preparada sequer para um inocente pingue-pongue de palavras, agora não, mamãe, agora não!

— Ela está boazinha demais — interveio Dionísia cortando um limão. — Até em missa já andou falando, vamos amanhã cedinho, não vamos, Raíza?

Girei a folha dentro do aquário. Sentia-me mais exposta do que os peixes.

— Vocês estão caçoando de mim... Pois vou à missa com os peixinhos, hein, peixinhos? E nos salvaremos juntos, está resolvido.

— Mas você teria que entrar aí dentro — disse minha mãe lentamente.

Encarei-a. Via agora que assim nos tratávamos há anos, variando apenas a gradação da ironia que podia chegar até ao sarcasmo. Uma simples conversa de rotina, como tantas outras nas quais as estocadas mais ou menos profundas eram iniciadas por mim. E ela se defendia ou não se defendia, o que era pior ainda. Apenas não notara que no momento eu queria a trégua.

— Vou pedir à titia que vista uma roupa de fada e me transforme num peixe. Deve ser boa a vida de peixe de aquário — murmurei.

— Deve ser fácil. Aí ficam eles dia e noite, sem se preocupar com nada, há sempre alguém para lhes dar de comer, trocar a água... Uma vida fácil, sem dúvida. Mas não boa. Não se esqueça de que eles vivem dentro de um palmo de água quando há um mar lá adiante.

— No mar seriam devorados por um peixe maior, mãezinha.

— Mas pelo menos lutariam. E nesse aquário não há luta, filha. Nesse aquário não há vida.

A alusão não podia ser mais evidente. Estou me despedindo do meu aquário, mamãe, estou me preparando para o mar, não percebe? Mas nem você percebe isso?...

Mordisquei uma maçã. O gosto era de palha úmida.

— E o livro, Patixa? Já descobriu um nome para o livro? — perguntei-lhe ansiosamente. Desejava tanto que ela se lembrasse de que era assim que eu costumava chamá-la quando criança. Patixa, Patixa.

— Está difícil, sabe? Não me ocorre o título.

Aproximei-me.

— Se eu puder ajudar...

Ela então vacilou. Seus olhos agora brilhavam tanto

quanto os meus. Houve um silêncio. Dionísia então abriu o forno, barulhenta:

— Fiz a torta de abacaxi pela receita de Dona Marta, mas não sei se vai dar certo — resmungou ela. E dirigindo-se a mim, num tom ácido: — Fiz também seus suspiros, com as claras que sobraram.

Pressentia a reconciliação embora dissimulasse ignorância para nos deixar mais à vontade. Contudo, meio desajeitadamente já dava os primeiros sinais de reconhecimento.

— E onde você achou a receita? — perguntou minha mãe.

— Estava num caderno dentro de uma mala lá da casa velha.

— Preciso ir buscar umas coisas que devem ser de Graciana. Você quer aquele espelho, não quer? — perguntou ela apertando levemente meu braço.

Como é que você sabe? pensei perguntar-lhe. Não me lembrava de ter dito nada a respeito. E então?... Senti a boca salgada de lágrimas. Fui para o quarto. Ela me aceitara de novo, ela me aceitara. Lá estava conversando com Dionísia mas era em mim que estava pensando, só eu e ela sabíamos que através do espaço, através do silêncio continuávamos juntas. Minha mãe. Como era possível?... E apesar de tudo me recebia ainda, me abria os braços, a mim que não fizera outra coisa do que atormentá-la, principalmente depois da chegada de André. E minhas pequenas perversidades! Era preciso ser muito mesquinha para confundir um afeto tão desinteressado com uma ligação banal e que se existisse não teria a menor importância, é claro, ambos eram livres e não seria a diferença de idade que impediria o desejo. Acontecia apenas que não existia esse desejo. No máximo uma amizade amorosa e que eu estranhava, habituada como estava a girar em torno do sexo. Mas até Fernando já não suspendera seu juízo? "É provável que nem haja nada entre eles, é de se esperar tudo de uma gente assim...".

O querido André, tão indeciso entre o mundo e Deus. Como não podia fazer como o santo do deserto que se escudou na sepultura, expunha-se. Exauria-se nessa luta. Vinha o cansaço e com o cansaço, o medo. Buscava então minha mãe que lhe aplacava a febre com seu calmo amor, ela o amava na mais perfeita forma de que um ser humano é capaz de amar: sem esperar nada em troca. Uma mulher há tanto tempo sozinha não podia ficar indiferente àquela juventude, amava-o sem dúvida, mas não precisava de mais nada. Amava e calava sabendo perfeitamente que logo o perderia. Mas já estava preparada para a solidão.

— Raíza, querida, você está chorando?

A voz delicada assustou-me mais do que um grito. No escuro, o contorno de tia Graciana delineava-se de forma tão nítida que parecia ter sido feito com um risco fosforescente. Mas não podia ver seu rosto.

— Estou bem, titia, não é nada não.

Ela sentou-se na borda da cama.

— É essa atmosfera carregada que afeta os nervos, este calor. Se ao menos chovesse... Não vai jantar, filha?

— Estou sem fome.

— Eu também não comi — gemeu ela tirando qualquer coisa de dentro do decote da bata. Devia ser um lenço porque o perfume de jasmim acentuou-se no ar. — Antes de sair, sua mãe pediu-me que viesse ver se você quer alguma coisa... — Baixou o tom de voz. E inclinando-se para mim: — Tenho achado a Pat mudada ultimamente, minhas antenas dizem que há algo de diferente nela. Você não notou?

Só eu mudara, a única transformação estava em mim mas a tiazinha deslizava por entre nós sem nos ver.

— Não notei nenhuma diferença.

— Não é possível! — fez ela voltando-se para a porta, inquieta. E num sussurro quase: — Sinto, meu bem, que há qualquer novidade no ar.

Há o seu perfume, quis dizer-lhe.

— O quê, por exemplo?

Ela apertou minha mão. Hesitou, agoniada. Decidiu-se:

— E se você estiver com a razão? Lembra-se da nossa conversa? E se... enfim, são suposições apenas — acrescentou rapidamente —, mas se ela tivesse mesmo um interesse mais especial pelo André? E se ela estivesse apaixonada?

Podia agora distinguir-lhe o rosto excitado, misteriosamente rejuvenescido.

— Um amor platônico?

O labiozinho curto tremeu. Fez ainda um último esforço para conter o galope das palavras que vieram em seguida:

— Não, Raíza, você não me entendeu, estou achando que há algo mais do que isso, ele é jovem, fogoso e ela uma mulher ainda bonita... Resistirá a esse impulso, como se diz, carnal?

Calou-se meio ofegante. Algum tempo ali ficamos em silêncio e imóveis, como se qualquer gesto ou palavra nos comprometesse.

Sentei-me na cama. Passei as mãos no rosto. Senti uma falta atroz do cigarro.

— Ela está terminando o livro, titia. E sempre que chega ao fim de um trabalho assim importante, fica meio inquieta, das outras vezes aconteceu o mesmo, é natural. Não, não há nada de mais sério entre eles, tenho certeza disso. Por que essa desconfiança?

— Porque você mesma disse outro dia que não era possível, que devia haver algo...

— Eu estava enganada.

Ela calou-se, pensativa. Senti no escuro que a face de Pierrô envelhecera de repente.

— Só amizade?

— Só amizade. Ele vai ser padre, titia, e está em crise. Precisa dela como todos nós precisamos, apenas isso.

Ela levantou-se com um certo desalento. Suspirou.

— Vai ver que é mesmo ilusão minha, imagine a Pat se apaixonar por um menino... — Fez uma pausa. Parecia estar olhando no vácuo. Mudou o tom de voz: — Se quiser tomar ao menos um chazinho, não faça cerimônia, é só chamar — avisou antes de sair.

O quarto perdera aquele fascínio agora que meus olhos, já afeitos ao escuro, conseguiam devassar tudo. Lá longe, num piano perdido na vizinhança, alguém pôs-se a tocar meio distraidamente uma valsa. Antes de terminá-la, as mãos passaram para um trecho clássico, que não pude identificar.

Lembrei-me do concerto do jovem pianista grego. "Que técnica, que virtuosidade, que nobreza!", exclamou Goldenberg durante o intervalo, a tremer, de emoção. "Acaricia como um gato, ataca como tigre, que pianista extraordinário. Ainda não encontrei ninguém com um talento igual. É fabuloso." Fiquei sem poder falar. Nunca tocarei assim, pensei. E quando a sala escureceu e o pianista recomeçou, senti que minha cara ficou mais escura do que a sala. Em vão desejei que se arrebentassem as cordas do piano, que estourasse o coração de alguém, que o teto se abrisse e nos esmagasse a todos com seu lustre. Mas o lustre estava bem preso, as cordas do piano, firmes, Ah!, íamos viver, sim, viver até a última nota tão perfeita quanto o silêncio que se fez em seguida, um silêncio de deslumbramento antes que rompessem os aplausos. No dia seguinte Goldenberg apareceu sem avisar. Pediu-me que tocasse mas interrompeu-me no meio da sonata, era uma sonata. Tivemos uma discussão violenta. Em dado momento ele deixou de agredir. Levantou-se e apertou minha mão: "Raíza, acho que não posso fazer mais nada por você. Devemos nos despedir". Estava muito pálido, mas calmo. Por que não diz a verdade? perguntei-lhe brandamente. Vamos, diga que não vou progredir nunca, que não pode perder tempo comigo, que cheguei ao fim, diga tudo, Goldenberg, eu prefiro que você seja franco! Ele me olhou demoradamente. Vestiu o sobretudo, era uma noite fria. Fiquei só. Quando pousei a mão no piano, senti-o ainda mais frio do que a noite. Fechei-o.

X

Na cama mais próxima da janela estava recostada uma moça, lixando as unhas. Devia ser a nova companheira de quarto da Marfa. Era jovem, delgada e raspara a cabeça tão recentemente que os cabelos em crescimento apenas lhe sombreavam a cabeça como uma carapuça de malha.

Apontei para a cama da Marfa.

— Sabe aonde ela foi?

A moça sorriu. Tinha o aspecto tosco de uma asilada. Mas os olhos verdes eram poderosos.

— Está por aí mesmo, não demora.

Na mesinha de cabeceira o cinzeiro estava cheio até as bordas. Ao lado, o abajur com dois enormes furos e vários halos de queimadura feitos pela lâmpada. A mesa com a máquina fora empurrada para um canto do quarto. Examinei sua papelada em desordem. Ela traduzia agora um romance de Dickens. Sacudi a garrafa térmica. Estava vazia. Na xícara, um fundo negro de café. E pontas de cigarro no pires. Examinei a sacola de couro cru, dependurada na cadeira.

— Oh, oh, oh, visitas para mim? — exclamou ela ao entrar. Deu-me um beijo. E voltou ao seu tom natural. — Irmã Paula me viu chegar de madrugada, compreende? Vasco estava comigo. Então precisou fazer o sermãozinho dela... Foi errado eu ter voltado, devia aparecer de manhã, dormi fora e está acabado, assim a coisa fica decente. Mas voltar de madrugada é que não pode. Como é que vou dizer que fiquei até de madrugada na casa da minha tia? — Calou-se. Alisou a franja com a palma da mão. — Preciso mudar-me, compreende? É da maior conveniência ficar aqui, comida excelente, quarto excelente, banho excelente. Mas não é excelente isso: ou se volta à meia-noite ou às oito da manhã. Mas nem sempre quero ficar a noite inteira fora.

— Quem é Vasco?

— Um homem que conheci no consultório do bruxo — disse ela encarando-me pensativamente. Acendeu um cigarro. —Mas por que é que você anda sumida?

— Recolhi-me, Marfa.

— E Fernando? Ainda ontem ele perguntou por você, E o carneirinho?...

Tirei a carta da bolsa.

— Queria que você lhe entregasse isto, pode ler...

Ela lançou à carta um olhar desinteressado. Dobrou-a novamente. Apanhou uma lixa em cima da mesa.

— Estou com preguiça de ler, você escreveu demais, parece uma carta de Dickens, compreende? — acrescentou inclinando-se para passar a lixa nos tornozelos. — E por que romper por escrito? Tão mais fácil dizer que o caso está encerrado, ponto final. Ou nem dizer nada.

— Estou amputando com cortes tudo o que apodreceu em mim.

Ela deu uma risadinha. E baixando o tom de voz para que sua companheira de quarto não ouvisse:

— Quem vai ficar no lugar vago? André? Já que está com propósitos tão dignos, saiba que não é nada bonito tirar o namorado da mãe.

Apertei-lhe o braço.

— Não repita isso.

Ela gemeu num acesso de tosse.

— Mas você mesma vivia dizendo, compreende?...

A jovem de cabeça raspada levantou-se discretamente e saiu do quarto. Segui-a com o olhar.

— Ela conhece Fernando?

Marfa abriu a gaveta e tirou um tubo de comprimidos azulados.

— Você conhece estas pílulas? São especiais para problemas domésticos, a gente toma uma e fica a léguas das aporrinhações, compreende? Conheço pílula para tudo mas para problemas domésticos ainda não conhecia.

Debrucei-me na janela que dava para o pátio interno do pensionato. Um modesto jardim ressentia-se sob o sol implacável. Quem teria morado antes nesta casa? De qualquer maneira tinham desaparecido totalmente os vestígios dos antigos moradores e a impressão que se tinha agora é que ali sempre estiveram as freirinhas cinzentas, alugando quartos a moças sem lar e de poucos recursos. Moças sem lar mas que precisavam tomar pílulas azuis para se esquecerem dos seus problemas.

— Você anda se desligando demais, Marfa. Vai acabar uma aposentada total.

Ela debruçou-se ao meu lado na janela. Senti seu perfume de flor de maçã.

— Mas esse vai ser o mundo do futuro, meu bem. Um mundo de desligados, compreende? O desespero humano exorbitou, não se pode aguentar tantas operações a frio, é preciso recorrer a alguma coisa. — Fez uma pausa. E num tom mais brando: — Ninguém aguenta a vigília, nem essas santinhas — disse apontando para uma freira que atravessou o jardim e sumiu numa porta. — Parecem tão firmes, não? Mas precisam também das suas pilulazinhas, no fundo, o mesmo desespero de se desligar ou pela farmácia ou pela Igreja. O que dá no mesmo. Tomam pílulas de fé, ficam em êxtase, do êxtase passam ao estado de levitação... Como nós, exatamente como nós, apenas os meios são outros.

Tomei-lhe a mão. E descobri que suas mãos almofadadas tinham ossos de menos enquanto que as de André tinham ossos demais.

— Marfa, por que você não vem morar em casa?

— Sua mãe já me fez esse convite.

— Já?

— Mais de uma vez, compreende?

A moça de cabeça raspada voltou ao quarto. Quando passou por nós, teve um sorriso estranho, cheio de insinuações. Fiquei sem saber o que ela estaria insinuando.

— E essa moça? — perguntei a Marfa enquanto saíamos.

— Chama-se Josefina. Ia ser freira, chegou a cortar a juba mas desistiu, compreende? Está aqui há uma semana. Escreve poemas, está bem assim?

— Ela conhece Fernando?

— Vai conhecer hoje, vou levá-la ao Ramirez. As freirinhas ficaram aflitas com a minha presença mas o que elas consideram o tesouro das jovens, esse não está mais ameaçado, a menina já foi *noiva*, não tem problema.

Será a próxima aventura de Fernando, pensei. Haveria de ficar excitado com a ideia de amar uma quase freira, "Minha freirinha", chamaria a acariciar-lhe os cabelos tosados. E ela inclinaria a cabeça para o ombro e sorriria aquele sorriso de órfã, a sonsa, Ah! as vocações interrompidas.

Tomei Marfa pelo braço e tive vontade de rir, por que sonsa? Ô! meu Deus, como era difícil... Não estivesse atenta e já começaria todo aquele processo de pensamento que seguia sempre a mesma marcha e que eu sabia bem aonde ia me levar.

Atravessamos o jardim e paramos diante do alto portão de ferro onde a ferrugem criara uma casca escalavrada como ferida. Transpus o portão. Na rua estava um homem afiando facas. A pedra girava veloz fazendo a lâmina despender faíscas. Voltei-me para Marfa. Ela apoiara os cotovelos no portão com arabescos que imitavam uma folhagem caprichosa. Uma roseta de ferro ficou cravada na palma de sua mão aberta.

— Então você entrega a carta?

Ela suspirou.

— Você falou agora com os dentes meio cerrados, como o André. Impressionante como vocês dois estão parecidos, compreende?

Beijei-a por entre as grades. Ela apertou um pouco os olhos estrábicos, feridos pela luz. E começou a assobiar baixinho, sem despregar os olhos de mim.

O som da roda de amolar facas acompanhou-me até a esquina. Quando atingi o outro lado da rua, o silêncio ficou tão profundo que olhei assustada em redor. Um cachorro encardido dormia esparramado ao sol. Trazia um cinto preso ao pescoço. Toquei-lhe numa das patas e ele acordou. Tinha olhos úmidos e doces. Vem! chamei e ele seguiu-me de cabeça baixa, como se não tivesse mesmo mais nada a fazer senão me seguir. Tremia tanto que meu coração se apertou. Nada escapava ao medo, nada.

Deixei-o sentado na escada e entrei na igreja como se fosse impelida por um sopro. Na Gruta de Lourdes, as velas ardiam nos grandes tabuleiros colocados por entre as pedras. Sem olhar a imagem, penetrei na aura ardente, extática. Pairando sobre as velas eu sentia agora a presença da santa exatamente como no tempo em que Dionísia me levava pela mão até aquele altar e eu lhe pedia emprestado o véu para cobrir a cabeça porque assim de cabeça coberta a menina Bernadete viu a aparição. Há alguma santa com o nome de Raíza? perguntei e Dionísia hesitou: "Que eu saiba, nenhuma. Raíza era o nome de sua tia-avó", ela me disse e eu tive um certo desaponto porque me parecia mais fácil atingir a santidade com um homônimo no céu.

E agora ali estava eu em meio das pedras e das velas que pareciam sempre as mesmas. O leve torpor que senti também era igual ao que me vinha quando assistia à primeira missa do dia. Quis rezar mas as orações estavam rotas, esgarçadas. *Advogada nossa*, murmurei e prossegui repetindo, *advogada nossa, advogada nossa...*

Pensei em minha mãe. Lá devia estar ela na sua sala, tão bem penteada, tão bem composta que parecia recear algum fotógrafo invisível, pronto para o flagrante do descuido, caso se descuidasse. *Advogada nossa, ajudai-a!* pedi colhendo com a unha do polegar duas gotas de cera que escorriam da vela mais próxima. E pensei em André com suas unhas roídas e batina esfiapada, pregando na Indonésia, tinha que ser na Indonésia, tudo bem difícil para que ele sofresse ainda mais na sua punitiva vida. Havia os padres tranquilos e os padres aflitos, ele seria sempre aflitíssimo, debatendo-se como um homem atirado ao mar.

Como aquele homem junto das rochas. Vimos tudo e não pudemos fazer nada a não ser gritar por uma corda. Mas não havia nenhuma corda em redor. Ele sentara-se para tomar banho de espuma das ondas que se chocavam na pedra, quando um vagalhão mais violento o levou para o mar alto. Pusera-se então a nadar, ele nadava com a segurança de um matemático expondo um teorema. Nem perdera os óculos, o que era extraordinário: um jovem de óculos tentando vencer pela lógica das braçadas a ilogicidade das ondas que o levavam até próximo das pedras para puxá-lo novamente assim que ele chegava a tocar nelas. Voltava nadando, a argumentar com os longos braços que se estendiam como réguas de cálculo, pronto, agora vai conseguir! eu pensava. Mas nova onda formava-se maliciosamente e o arrastava para longe. Até que o jogo cansou o nadador e o mar. Num dos seus retornos, em meio do caminho ele ergueu os braços e ficou se debatendo, numa fração de segundos ficou se debatendo sem esperança e sem os óculos. Depois, só ficou o mar e o grito do pescador que chegou correndo com um rolo de corda debaixo do braço. Ainda atiramos estupidamente a ponta da corda que boiou no meio da espuma até afundar. Nessa mesma noite, voltei às pedras. O luar prateava tudo. Pensei no afogado da manhã e quis odiar o mar mas ele estava tão suave assim banhado de luar. Disse adeus ao afogado. Ele já se desintegrava como um naco de miolo de pão, só o mar era eterno.

Colhi na unha uma gota de cera que escorreu da vela, não, não era um desconhecido que se debatia na água, era André, tão difícil a pedra, o equilíbrio, só minha mãe tinha o rolo de corda, *Advogada nossa, ajudai-o!...*

Concentrei-me na oração sem oração, só pensamento ardendo como aquela chama. Fechei os olhos: ajudai a ela para que os que dependem da sua força sejam ajudados também, eu, Marfa, André, tio Samuel, tia Graciana, Dionísia... A frágil família. Tinha ainda o aquário com os peixes nadando em círculo, amigos e inimigos condenados à mesma água. E mais o cachorro que me esperava lá fora.

Procurei-o quando saí mas ele tinha desaparecido. Na escada encardida, um mendigo dormia ao sol. Vou vê-lo agora, decidi procurando no fundo da bolsa o caderninho de endereços. A letra *A*, não Ana nem Alfredo nem Anjo (ah! o Anjo) nem Amâncio...

André. Ele mesmo anotou o endereço quando nos encontramos por acaso na rua: e se quiser visitá-lo, como é que eu faço? Ele gracejou pouco à vontade, não recebia visitas femininas. Mas e uma carta? Vamos, ordenei, escreva aqui seu endereço! Recusou a folha em branco, quis ocupar a última linha da página quase cheia. Retive por mais tempo a sua mão na despedida. É bom receber visitas de moças, eu disse. De senhoras. Nem a mãezinha você gostaria de ver, hein? Ele largou minha mão como se ela queimasse, baixou a cabeça e fugiu como se eu fosse o Diabo.

Pedir-lhe perdão, é tudo o que quero, pensei enternecida enquanto subia a velha escada da casa de cômodos. Era um casarão decadente mas limpo. A escada cheirava a creolina. Um gato malhado que descia colado ao corrimão assustou--se quando me viu e voltou aos pulos pelo mesmo caminho por onde viera. Uma mulher cantarolava num dos quartos.

Olhei em redor. Eu sabia que ele era pobre mas não podia supor que fosse pobre assim. Na primeira porta do estreito corredor havia um cartão amarelado: *Madame Giselda — Parteira Diplomada*. Fui à porta seguinte. Apenas duas iniciais estavam escritas com tinta vermelha no papel colado no batente: R. M. Na terceira porta não havia nenhuma indicação. Torci a maçaneta preta, igual às maçanetas da nossa antiga casa. Espiei e senti o cheiro de André, aquele característico cheiro de sala de aula que eu conhecia tão bem. Entrei.

Só podia ser mesmo aquele quarto porque ali ele estava em toda a parte; na pequena cruz de madeira pregada na cabeceira da cama, no armário grande e fora de moda, na estante tosca, de prateleiras abauladas sob o peso excessivo dos livros. E a mesa severa, única peça de bom gosto em meio daqueles móveis despojados, que faziam lembrar uma cela. O caderno preto de capa puída estava em cima da mesa, ao lado de uma pilha de livros meticulosamente marcados por marcadores de papel. Uma pasta de cartolina mal escondia o maçarote de folhas com anotações feitas às pressas. Apanhei o lápis todo mordido na ponta. E acariciei com os dedos o caderno onde escrevi — há quanto tempo? — eu te amo. Como estava longe tudo aquilo, pensei debruçando-me na janela que dava para um terreno baldio. Alguns meninos jogavam bola. Apertei o lápis sentindo no verniz as nítidas marcas dos seus dentes. Fiquei comovida. As unhas não bastavam, ele tinha que recorrer ao lápis. Olhei para minhas mãos. A mesma carne enferma de ansiedade, de insatisfação. De medo. Quem dentre nós estava seguro, quem?

— Raíza...

Ali estava ele sem paletó e sem gravata, a saboneteira numa das mãos e a navalha na outra. Tinha o colarinho aberto e o rosto úmido, recém-barbeado. Pálido.

— Vim só por um instante, André, não me demoro.

Ele guardou a saboneteira e a navalha na gaveta do armário. Seus gestos eram lentos, medidos. Parecia estar dando tempo a si mesmo para se recompor da surpresa. Enxugou o queixo, abotoou o colarinho e vestiu um paletó tão gasto e tão largo que imaginei ser de algum terno da adolescência, quando era então mais gordo e mais tranquilo.

— Sente-se, Raíza — pediu, oferecendo a única cadeira.

— Mas não precisava vestir o paletó, André, está tão quente, fique à vontade.

— Mas é assim que fico à vontade.

Observei-o afetuosamente. Jamais ele estaria à vontade em parte alguma.

— Estou interrompendo seu trabalho — lamentei, sem saber por onde começar.

Ele contestou veemente mas convencional. Sentou-se na cama. E ali ficou empertigado, as mãos abertas nos joelhos.

— Você emagreceu, Raíza.

— Mas nunca estive tão bem, durmo cedo, acordo cedo, levo uma vida a mais metódica possível. Já esqueci até o gosto do cigarro, deixei de fumar, beber...

— Não é possível!

Fiquei a sorrir do seu espanto. O querido André.

— Bem, estou exagerando, é claro, mas o que eu quero dizer é que entrei numa fase completamente nova. Tenho rezado muito, vim agora da igreja... Estou me encontrando aos poucos, você tinha razão, André, é preciso paciência.

Ele apoiou os cotovelos nos joelhos. Parecia se preparar para ouvir uma confissão. Assim atenderá nos confessionários, pensei. Com essa mesma expressão grave dará o perdão sem julgar.

— Arrependeu-se?

— Acho que nunca deixei de me arrepender.

— E aquela sua roda? E... e Fernando?

Baixei o olhar para minhas unhas.

— Já estava afastada dele quando reatamos. Mas foi tudo tão sem interesse, tão sem alento que não haverá outra vez. Mandei-lhe hoje uma carta rompendo definitivamente, é importante para mim que ele saiba que considero o caso encerrado.

Ele tocou de leve na minha mão.

— Eu sabia que você seria salva.

Vi a inquietação no fundo do seu olhar. Devia estar pensando noutra coisa.

— E você, André? Aquela crise... Passou?

Ele levantou-se. E pôs-se a andar pelo quarto fazendo ranger as largas tábuas do assoalho. Reparei que o chão devia ter sido lavado nessa manhã porque as frestas ainda estavam úmidas.

— Que sei eu, Raíza?! Às vezes tudo me parece tão simples — disse ele detendo-se. Crispou a boca dolorida. — E de repente, tudo se complica, enredam-se de tal forma os caminhos...

Pensei no afogado.

— Você usa óculos?

— Não. Por que pergunta?

— Nada, nada, continue. Você dizia que se afastava do seu objetivo...

— E ao mesmo tempo — prosseguiu ele com vivacidade —, renovam-se minhas energias, as dificuldades como que me atiçam para a luta e me sinto um leão, disposto a resistir até o fim. Hei de alcançar o que eu quero, Raíza. E se digo essas coisas, é para que você saiba que todos em seu redor estão lutando. Não estamos sós.

O tom era de citação. Aproximei-me comovida. Ele então empalideceu. Seus olhos se apertaram e vi o desejo neles. Mas logo desviou o rosto e de maxilares apertados, aproximou-se da janela e ali ficou de costas para mim. Remexi a bolsa e exasperei-me por não ter trazido os cigarros. Mais do que o próprio fumo fazia falta o gesto, era do gesto que eu precisava naquele instante. Apoiei-me na mesa.

— Bonita essa mesa, André.

— Foi de meu pai. É a única coisa que me restou dele.

— Vai levá-la para a Indonésia?

Ele voltou-se inquieto.

— Indonésia?

— Não sei por que mas sempre que penso em você padre, imagino-o na Indonésia, uma viagem enorme, atrapalhações de toda espécie, ninguém querendo ser catequizado e você insistindo, tão magro, tão insone...

Pela primeira vez ele riu com naturalidade.

— Indonésia — murmurou evasivo, olhando para fora através da vidraça.

— Depois haverá uma revolução, você terá que fugir. E para sua alegria e glória, passará a pregar nas catacumbas, rumo às catacumbas!

Ele ria baixinho, sacudindo um pouco os ombros curvos. Em seguida ficou sério. Encarou-me franzindo as sobrancelhas.

— Foi bom você ter vindo mas agora deve ir, Raíza. Vai chover — acrescentou lançando um rápido olhar ao céu. Melhor ir embora.

— Posso voltar?

Ele pousou em mim o olhar dourado. Baixou a cabeça aflita.

— Quase não fico aqui, Raíza. Por ora, o melhor é isolar-me um pouco para ter concentração no trabalho, veja o exemplo da sua mãe, tão só e tão fecunda.

— Vou me isolar — atalhei. — Nem que seja para levar meu piano para um túmulo e lá ficar encerrada como fez aquele santo egípcio, como era mesmo o nome dele? Um santo egípcio.

— Antão.

Sorrimos um para o outro. Agora que me via partir parecia menos tenso.

— Algum recado para minha mãe?

— Amanhã irei visitá-la.

— E o livro dela, você já leu?

Ele sacudiu afirmativamente a cabeça. Sua fisionomia iluminou-se.

— É belíssimo.

Mas se você não foi mais vê-la, eu quis dizer. E se há dois

dias apenas ela me disse que tinha terminado!... Quando então? E onde? Torci a maçaneta da porta que girou como um olho.

Onde? fiquei me perguntando enquanto me envolvia o cheiro de creolina que vinha do corredor. Procurei ver o cartão da parteira diplomada, como se chamava mesmo? Gisela... Onde, onde seria o encontro? Revi-a pedindo a Dionísia que servisse o jantar mais cedo, precisava sair em seguida. Várias noites ela precisara sair em seguida. Senti as pernas trêmulas.

— Direi que você irá amanhã. Na hora de costume? — perguntei num fio de voz.

— Na hora de costume. Deus te abençoe, Raíza.

Fui descendo a escada, colada ao corrimão como o gato malhado que encontrei ao subir. Na rua, passou uma mulher completamente curva e desgrenhada, fugindo das nuvens escuras que por sua vez também fugiam. Segui na mesma direção do vento.

XI

O perfume de rosas vinha misturado a um cheiro úmido de terra. Os dedos gelados tocaram no meu ombro, "Raíza, Raíza!...". Quis me mover mas o passarinho vigiava empoleirado no alto do espelho. Quando vi o bico duro de verniz pronto para quebrar a imagem, imobilizei-me. Qualquer movimento que eu fizesse, voaríamos em estilhaços. Esperei que os olhos de vidro se desviassem dos meus mas o passarinho foi se aproximando de asas abertas: visto assim de perto seu olhar era tão triste que não resisti e comecei a chorar. O perfume de rosas confundiu-se com a voz que vinha como um hálito através da corola, "Raíza...". Afundei então os dedos na terra à procura da fonte que devia estar correndo lá embaixo mas ao invés da água só encontrei o espelho. Nele havia um furo que se ramificou em fatias iguais, estendendo-se aos meus pés como um teclado, um longo teclado mudo, as teclas brancas e negras lembrando uma escada. Tentei subir colada aos degraus mas as teclas cederam e foram tombando uma a uma como num jogo de dominó. Onde você está? Onde? gritei enquanto caía.

Acordei com o grito. O cheiro de rosas murchas ainda estava no ar. Amanhecia. Tentei rezar mas não consegui prestar atenção às palavras que durante algum tempo, distraidamente, fiquei repetindo em voz baixa. Uma chuva branda caía lá fora. Sentei-me na cama. Ah, era bom ouvir aquele barulho de chuva que parecia ir lavando meu coração como lavava a madrugada.

Lembrei-me de um distante Domingo da Ressurreição, quando eu e Dionísia fomos juntas à igreja. Chovia assim quando nos levantamos para chegar em tempo de acompanhar a procissão. "Quem sabe até lá a chuva passa", dizia Dionísia enquanto tomávamos café na cozinha, perto do fogão de lenha. O calor do braseiro me envolvia num torpor tão doce que tive vontade de me estender no lajedo e dormir enquanto outra parte de mim mesma excitava-se com a ideia de assistir a uma procissão de madrugada e debaixo de chuva. Imaginei Jesus subindo aos céus em meio de trovões e raios, o manto ensopado, os cabelos escorridos. Mas Ele vai ressuscitar assim na tempestade? perguntei e Dionísia impacientou-se: "Precisa então haver sol para a gente ressuscitar?". Ela disse *a gente*. Fiquei em silêncio enquanto tomava café, deliciada ao pensar que gente como nós também podia ressuscitar com qualquer tempo.

Cobri-me e senti o antigo calor do braseiro. A chuva foi ficando remota, a madrugada escureceu novamente e agora Dionísia estava sentada num banco ao lado do fogão. Bordava morangos no meu avental. No cabo de uma caçarola de cobre, o passarinho vigiava e seus olhos tinham o mesmo fulgor de cobre da caçarola. Abri os braços para espantá-lo mas nesse instante ele sorriu como André costumava sorrir. André! gritei. Mas ele já não me via. Enlaçou minha mãe e enlaçados e nus os dois corpos rolaram pelo braseiro do fogão, vermelhos como ferro incandescente, as caras palpitantes de gozo. Quis olhar lá no fundo onde se esconderam mas alguém fechou com força a boca do forno.

Acordei molhada de suor, arquejante, ah! os sonhos. Abri a janela. Não chovia mas o céu ainda estava pesado. Vi o gato lá embaixo no quintal dos velhos, pisando leve para não molhar as patas nas poças d'água. Então eles se encontraram. Mas onde? Naquele quarto, na cama estreita sob o crucifixo preto?... Ora, o local. Que importava o quarto cheirando a creolina ou o hotel? Importante era o desejo que os fez rolar por entre as brasas, os corpos estalando no fogo, gemendo, eles gemeram?

O gato subiu no muro e agora sacudia a pata que devia ter se molhado. Uma mulher da pensão apareceu de pijama, disse qualquer coisa para alguém que estava dentro da casa e atirou o toco de cigarro na direção do gato.

— *Bonjour, bonjour!* — cumprimentou tia Graciana entrando com a bandeja. Depositou-a na mesinha. — Olha aí, querida, trouxe seu café com torradas e mel.

Beijei-a.

— Você é um encanto de tia.

Ela sentou-se ao meu lado e ficou a me observar com afetuoso interesse.

— Estive conversando com Pat a seu respeito. Estamos tão contentes, tamanha mudança do dia para a noite, você se transformou numa menina exemplar.

— *As Meninas Exemplares.* Lembra, titia?

— Que livros tão mimosos aqueles! Não sei por que não escrevem mais livros assim, as mocinhas precisam dessas leituras.

Passei mel na torrada.

— Mas o que foi que ela disse?

— Quem? Pat? Não disse nada propriamente, quem falou fui eu e ela ficou ouvindo mas sei que ela anda muito satisfeita, conheço sua mãe.

— Sonhei com ela.

— Sonhou? Um bom sonho?

— Não. Tinha outras pessoas também... Ela tem saído quase todas as noites, não tem?

Tia Graciana tirou o lencinho de dentro do bolso do roupão. Aspirou-lhe o perfume e passou-o distraidamente no pescoço.

— Eu pensei que com a chuva que caiu essa madrugada fosse refrescar um pouco, mas que ilusão! Parece até que está mais quente este verão.

— Sabe aonde ela vai, titia? Tem saído todas as noites...

— Quem? A Pat? — fez ela voltando para mim o olhar inocente. — Não tenho a menor ideia. Por quê, Raíza? Por quê?

Esvaziei a xícara. E passei as pontas dos dedos na boca. Era insuportável o desejo de fumar. Tomei uma colherada de mel. Senti náusea e precisei de um gole de café amargo.

— Algo de errado, querida?

Algo de errado. O labiozinho curto já se fechava apreensivo.

— Pode-se partir daí para um poema concreto.

Ela teve um sorriso de beatitude.

— Concreto?

Tombei de costas na cama.

— Tia, tia, se ao menos eu soubesse...

— Soubesse o quê, meu bem?

— Que eles são amantes.

Houve um silêncio demorado. Podia imaginar agora a cara de Pierrô imobilizar-se, aturdida. Era preciso dar-lhe tempo para a ideia descer mais fundo e aquietar-se lá no escuro.

— Mas você está desconfiada outra vez? — perguntou em voz baixa, inclinando-se sobre mim. — Eu não devia dizer, querida, mas acho que os dois estão no profundo mar azul, o que seria maravilhoso, não é mesmo? Só pelo amor vale a vida, essa é a verdade, não poderia existir nada de tão romântico, ele tão jovem, ela, já madura mas bela ainda, ih! esses são os grandes amores. Li uma vez um romance assim, por sinal, fortíssimo, eu precisava ler escondido da mamãe.

— Romântico, não é?

Tia Graciana fechou pudorosamente no peito a gola da bata. Suspirou. Pareceu perder de repente todo o entusiasmo.

157

— Outras vezes acho que é só amizade, afinal, muito feio isso de se envenenar tudo. Ele é um menino ainda, outro dia chorava como uma criança, o pobre...

— Quando?

— Passei pela porta do escritório, não te contei isso? A porta estava fechada mas ouvi lá dentro soluços abafados, tão sentidos que meu coração até doeu. E ela o consolava como se consola um filho.

— Ou um amante.

— É, ou um amante.

Vi de repente no espelho minha cara astuta e não me reconheci. Passei ferozmente a escova nos cabelos. Uma raposa, pensei baixando o olhar, não, eu não era mais um carneirinho louro, era uma raposa. Atirei a escova na mesa.

— Bobagem, titia, não preste atenção ao que estou dizendo, começo de vez em quando a devanear e me perco em bobagens. — Fechei os punhos. — É que estou ficando ruim outra vez.

Mas ela animara-se e queria prosseguir pelo caminho que eu abri. Tinha um ligeiro corado no pescoço e no queixo. Os olhos estavam acesos.

— Ele tem um jeito tão ardente, não, Raíza? Conheci um moço assim na minha primeira juventude, era um estudante de Medicina e também pobrezinho como o André. Chamava-se Luís Otávio. Uma flor!... Perguntei-lhe um dia o que gostava de comer, mamãe ia convidá-lo para um almoço e queria oferecer-lhe algo de especial. E ele respondeu que conhecia poucos pratos além do que costumava comer diariamente. E que prato você come diariamente? perguntei e ele me respondeu muito sério, Um caldo feito com os cordões dos meus sapatos. Não é engraçado? Ah, era engraçado, aquele menino.

— Foi um namoro apenas ou...

Ela hesitou. E terminou por rejeitar a isca. Baixou a voz:

— Mas como estava dizendo, André parece assim tão fogoso, seria de fato um amante ideal embora na minha opinião não tenha lá muito charme. Você acha que ele tem charme?

— Não, não tem.

— Mas isso não faz diferença — acrescentou rapidamente. — Ele compensa a falta de graça com essa beleza da juventude. Seria o grande amor da vida dela, sem dúvida que seria...

Abri a gaveta à procura de cigarros. Revolvi os objetos. A flor seca caiu de dentro do livro.

— Você sabe o que aconteceu no dia Quinze de Maio?

Ela encolheu os ombros. Seu pensamento ainda borboleteava em torno da irmã. Fixou em mim o olhar sonhador.

— Quinze de Maio? Não sei, querida, não me lembro de nada que tenha acontecido nesse dia. Por quê?

Mostrei-lhe a flor e enquanto ela a examinava, fui bater na porta do quarto da minha mãe. Sentia a vista turva.

— Estou precisando de um cigarro — fui dizendo ao entrar.

Minha mãe olhou-me demoradamente.

— Tenho um maço na minha bolsa, naquela... Pode ficar com ele, filha.

Senti a mão tremer quando acendi o fósforo. Traguei repetidas vezes. A vertigem foi passando e agora me vinha apenas um doce cansaço. Sentei-me defronte dela. Devia ter saído há pouco do banho e vestia uma combinação de seda branca. Havia rendas na combinação. Por que tanta renda? Não era do gênero dela usar uma roupa íntima assim picante, gostava de tudo tão simples. "Conheço a mulher que tem amante só pela *lingerie* que ela usa", observava Marfa apontando jocosamente os varais das freiras no quintal do pensionato.

— Pronto, chega — eu disse na última baforada.

Minha mãe então levantou-se para apanhar o roupão. Examinei com avidez seu corpo: a vontade de ferro refletia-se na carne de ferro em brasa se contorcendo com a dele no braseiro do fogão.

— Você está pálida, Raíza — murmurou ela amarrando o cordão na cintura. Sentou-se. Tomou-me as mãos. — Escuta, filha, precisamos conversar um pouco.

159

Precisamos conversar. Tinha a impressão de que há anos ela repetia exatamente isso, precisamos conversar. Mas a única coisa que realmente me interessa saber ela não diz.

— Estou bem, mamãe.

— Você fez uma mudança grande, Raíza — começou ela lentamente. — Mas não terá sido brusca demais? Essas renúncias repentinas... Você cortou tão de repente o cigarro, a bebida...

— O sexo. Cortei tudo.

— Fico satisfeita mas inquieta, vejo que está sofrendo e não quero que você sofra assim.

— Toda mudança tem que ser na base do sofrimento, mãezinha.

Ela arqueou as sobrancelhas. Apertou mais minha mão.

— Mas o sofrimento será mesmo necessário? Não desconfia um pouco de uma fase que começa tão sem alegria, tão sem saúde?...

Procurei no seu rosto as marcas do amor, André devia amar com a mesma afobação com que falava e roía as unhas. Mas a face lavada e branca denunciava apenas uma certa tensão. Baixei a cabeça. E era eu o motivo. Senti-me miserável.

— Só sei que tenho tentado ser boa, mamãe, mas é difícil. Viciei-me nas pequeninas perversidades e agora sinto falta delas como há pouco senti falta do cigarro.

— Você saltou de um extremo a outro, foi rápido demais.

— Mas é que tenho horror ao meio-termo — atalhei. — As coisas comigo têm que ser feitas assim, com violência. Essa mediocridade das meias medidas!...

— Mas não seria medíocre fumar vinte cigarros por dia ao invés de cem. Você fumava desbragadamente, bebia, saía todas as noites... De repente deixa de fumar, de beber, isola-se e fica numa espécie de retiro espiritual, o que também não me parece certo. Seria bom se fosse aos poucos, Raíza, essas mudanças drásticas só têm sido possíveis aos santos — acrescentou com brandura. — E não a vejo candidata à santidade.

Abri o vidro de água-de-colônia e umedeci as mãos.

— Quero ser pianista.

— Mas você nunca mais tocou o piano, Raíza.

— É que não chegou a hora. Estou me preparando para recomeçar em forma, com a coragem de sacrificar tudo aquilo que se puser na minha frente.

Ela calçou as meias. As pernas poderiam parecer mais firmes se não fossem tão brancas.

— E para ser pianista é preciso renunciar assim?

— É preciso.

— Mas, Raíza...

Levantei-me e apanhei o maço de cigarros na mesa de toalete. Aspirei com sofreguidão o cheiro do fumo.

— É preciso e você sabe que é, você que não fez outra coisa senão renunciar, mamãe. Não é verdade o que estou dizendo? Hein?... Com meu pai, por exemplo, por acaso você hesitou em deixá-lo de lado? Não, mãezinha, não estou querendo censurá-la por isso, juro que não, você fez bem, está certo, teve que escolher, estou apenas lembrando... Até que foi generosa demais em ficar com ele, podia ter ido embora, se juntado com outro, lá sei! Mas não. Aceitou essa cruz como aceitou tio Samuel, Marfa, tia Graciana e todos esses agregados entre os quais, humildemente, eu também me coloco.

Ela deixou cair as mãos no regaço. Meneou desconsoladamente a cabeça.

— Raíza, não...

— Mas está certo — repito —, não se pode fazer nada com tipos assim, é escolher, ou afundar com eles ou deixá-los que se afundem à vontade enquanto se vai para a tona. Você se desligou, mãezinha. Marfa toma pílulas para problemas domésticos, outros recorrem aos analistas, mas você se desligou dos seus problemas sem precisar de nada.

Uma porta bateu com estrondo. E a voz estridente de uma mulher pôs-se a chamar aflita, Beatriz! Olhei através da vidraça. O sol insinuava-se fracamente no céu algodoado.

161

— Raíza, como poderei explicar-lhe, como? — começou ela baixinho. Parecia falar consigo mesma. — Essas coisas não podem ser explicadas, as palavras não adiantam, eu queria que você entendesse sem ser preciso que eu dissesse. Sei que me considera um desses monstros sagrados, que se alimentam do próximo seja ele quem for. E não vê que se tenho me alimentado de algum sangue, esse sangue é só meu.

Fiz um gesto exasperado, Ai! as frases de efeito. As belas frases de efeito. Exatamente assim falaria a mãe das suas personagens, uma mulher culta e nobre, de mãos aristocráticas e fronte pensativa. Lembrei-me de Fernando, "Essa sua mãe é um livro!".

— Mas nada disso interessa, mãezinha, o que interessa mesmo é o seu romance. E tive vontade de rir. Teria graça se ela perguntasse, qual deles? Toquei-lhe no ombro. — Já posso ler?

— Depois que eu tiver feito algumas correções, sem dúvida, filha.

— Por acaso André já leu?

Ela fez que sim com um ligeiro movimento de cabeça. Pelo menos não mentia. Por acaso são amantes? eu poderia também perguntar.

Uma pequena mariposa debatia-se contra a vidraça. Consegui apanhá-la pelas asas que pareciam palpitar tão fortemente que me apressei em soltá-la pela fresta da janela. Olhei para os meus dedos. Neles ficara uma poeira cinzento-dourada.

— Mas não se importe com o que eu disse, mamãe, exagero meu, não é preciso mesmo vomitar fogo nem vampirizar ninguém para conseguir o troféu, o que é preciso é vocação. Parece tão simples, só vocação. E se não recomecei a estudar é porque não estou ainda completamente certa.

— E será preciso estar certa assim antes de experimentar?

Bati os punhos fechados no peitoril da janela.

— Não posso fracassar uma segunda vez, que nenhum outro Goldenberg me diga para desistir, não quero nunca mais ouvir isso!

— Ele pode ter se enganado, Raíza.

Esfreguei raivosamente os olhos cheios de lágrimas.

— Não, não se enganou.

Ela veio por detrás e colocou as mãos nos meus ombros.

— E o Fernando?

Lá no alto, do seu carro de ouro a divindade detinha por um momento o augusto olhar sobre a filha infeliz. E lhe perguntava ainda — num tom discreto — pelo amante.

— Rompemos. Não tenho mais visto homem algum, muito menos o Fernando — murmurei olhando ao longe. — Só o André.

As mãos dela tremeram como asas sobre meus ombros. Instintivamente voltei o olhar para a poeira que a mariposa deixou nos meus dedos. Limpei-os no fundo do bolso da calça.

— Você foi visitá-lo?

Demorou a pergunta mas veio. Não fosse ela adepta do método iogue e dos processos lentos. Andei até o meio do quarto sóbrio e cálido. Faltava ali qualquer coisa de mais pessoal, mais íntimo. Retratos, por exemplo.

— Há retratos no quarto de André?

— Ainda não estive lá, Raíza, não posso saber.

— Não, não tem nenhum retrato. Um quarto despojado como devem ser os quartos dos que têm mundo interior. Já reparou, mamãe? Quem tem vida interior não precisa cercar-se de bibelôs e badulaques como tia Graciana.

— Mas o André é pobre por dentro, Raíza. Você se engana nesse ponto, ele também não tem quase nada para enfeitar suas paredes. Mal se lembra dos pais, não teve namoradas, nem amigos, nada.

— Nem um cachorro? Faz muita falta um cachorro — acrescentei aproximando-me da sua mesa de cabeceira. O pequeno abajur de opalina rosada, dois livros, a espátula e o cinzeiro. Tudo calmo, repousante. Mas nenhum retrato. Nenhuma imagem. — Você também não gosta de imagens, hein, mamãe? Imagens de santos...

Ela sentou-se. Parecia tão em paz consigo mesma. Mas

eu pressentia a tempestade iminente como um velho pescador farejando o vento. Apenas não se podia falar em tempestade tratando-se da minha mãe.

— As imagens dos meus santos estão aqui dentro — disse ela fechando a gola do roupão no peito. — E os retratos estão nos álbuns — acrescentou evasivamente. Apanhou o arminho de pó mas ficou com ele esquecido na mão. — Quer dizer que você esteve com André?

O brilho úmido do banho já tinha se evaporado da sua pele que me pareceu repentinamente envelhecida vista assim através do espelho. Baixei o olhar para minhas mãos. Agora quem perdia o brilho era eu.

— Minhas unhas andam manchadas e este esmalte incolor não esconde as manchas.

— Raíza, você esteve com André?

— Rapidamente. Fui procurá-lo porque pensei que ele pudesse me ajudar.

— Eu não posso?

— Teríamos primeiro que abrir o jogo, mamãe.

— Que jogo?

Fui indo em direção à porta. Ela me seguiu. Toquei com as pontas dos dedos na renda da sua combinação.

— Ninguém mais usa combinação, só no cinema é que as mulheres ainda aparecem assim, combinação de renda preta. Mas por motivos eróticos, é claro. Esta sua é muito bonita. Nova?

Ela levantou a cabeça. A boca teve uma crispação.

— Raíza, o que é que você quer de mim? Diga depressa o que você quer de mim — repetiu ela. A voz veio estraçalhada. — Não vai me dizer?

— Eu só queria um cigarro.

Ela escondeu as mãos nos bolsos do roupão. Apertou os olhos.

— Você está com algum plano.

— Que plano, mamãe? Fui lá porque achei que ele podia me ajudar.

— Não pode. Seria o mesmo que pedir ajuda ao caos — murmurou ela pondo-se de costas.

Adivinhei-lhe a face vincada de rugas, a face que agora se escondia. Quis pedir-lhe perdão. Mas era tarde para pedir qualquer coisa. Fechei a porta atrás de mim, ah! daria tudo para deixá-la como a tinha encontrado há pouco, o rosto brilhante. E o olhar transparente.

XII

O cravo. O violoncelo. O cravo. O violoncelo — mas não tinha fim aquele diálogo absurdo e no qual o cravo, com sua voz de velho obstinado, voltava sempre ao mesmo tema, sem ouvir o violoncelo que argumentava com veemência. Às vezes as duas falas se juntavam para prosseguirem mais separadas ainda.

— Eu pensei que você não estivesse aí e que o disco repetisse sozinho — disse tia Graciana espiando pela porta entreaberta. — Há horas que você está ouvindo isso. Não se cansou?

— Não.

— É Mozart?

— Bach.

— É estranho — fez ela em meio de um risinho nervoso —, essa sonata me aflige um pouco. Aflitiva, não?

— Muito.

— Mexe com os nervos, parece essas moscas zunindo em redor da cabeça da gente...

O violoncelo disse a última palavra, mas antes que o cravo respondesse, desliguei o som. Eram incomunicáveis.

Tia Graciana já tinha voltado para sua concha. Sentei-me no chão para guardar os discos. Então apareceu Marfa. Vestia um blusão de largas listras azuis e uma saia branca, que lhe acentuava o contorno das pernas queimadas de sol. Vai me falar de Fernando, pensei.

— Como vai essa monja?

Guardei o disco no envelope.

— *Allegro ma non troppo.*

Ela sentou-se no almofadão.

— A tiazinha veio me dizer toda tremendo que durante horas você repetiu o mesmo disco, ela já estava para morrer de dor de cabeça, compreende?

Na capa do disco as figuras dos dois frades meio perplexos lembravam meu pai e o tio Samuel, cada qual no seu mundo e também incomunicáveis.

— Por que você não apareceu mais?

Ela arregaçou as mangas do blusão e ficou a olhar inexpressivamente os próprios braços nus.

— Agora sou escrava de um horário, querida. E se hoje estou aqui é porque morreu a mãe do chefe. Daqui a pouco vou me enfurnar num cinema, se quiser vir...

— E o seu pai? Foi visitá-lo?

— Fui. Você faz seus alardes mas quem vai sou eu — acrescentou ela abrindo a bolsa e tirando de dentro um vidro de óleo. Começou a massagear as pernas. — Quero ficar marrom neste fim de verão, compreende?

— E ele está melhor?

— Piorou. Chegou a me confundir com minha mãe e caiu então na maior tristeza. Conheci também o amigo dele, um velhote húngaro que choramingou o tempo todo porque nesse andar íamos perder a guerra. Não aguento mais louco triste, Raíza, gosto deles alegres, aqueles dois são por demais deprimentes.

Empilhei os discos na prateleira da estante. Esperei que ela se arrastasse até o retângulo de sol, bem debaixo da janela. Fiz então a pergunta:

— E as novidades?

Como a resposta demorasse, voltei-me.

— Fernando vai se casar, compreende?

Uma ligeira vertigem me fez vergar para a frente. Fingi que procurava um livro na última prateleira. E estendi-lhe a mão.

— Preciso de um cigarro.

— Você está amarela...

— É que deixei de fumar e todas as vezes que aperta a vontade, fico assim. Depressa, um cigarro!

Quando a fumaça me penetrou, foi diminuindo o formigamento nas pontas dos dedos. Pensei na moça de cabeça raspada, lixando as unhas. Senti de repente uma certa calma.

— Eu tinha certeza de que isso ia acontecer.

— Mas não adivinha agora com quem...

— Com aquela sua companheira de quarto.

Ela riu. Estendeu os braços para o sol.

— Ha, ha, já vi que a solidão às vezes é boa, você ficou mais esperta.

— E quando vão se casar?

— Bom, casar!... Vai ser igual aos outros casamentos dele, compreende? Separou-se da mulher, levou Josefina para o apartamento e andam por aí de mãos dadas, Minha noiva. Depois dirá, Minha esposa. Fim.

Fiquei passando a flanela na lombada de um livro azul. Não podia ler o título a dançarinar sobre o couro. Fernando, Fernando. Tínhamos nos amado. E agora ele amava outra e depois amaria outra ainda e os amores e desamores iriam se renovando com a mesma naturalidade com que Dionísia renovava a água do aquário: assim que o visgo acumulava no fundo, ela abria a torneira e o jato d'água limpa subia cobrindo tudo. Apoiei-me nos cotovelos e olhei minhas mãos sujas de poeira. Antes tinham existido as mãos de mármore de Germaine. Agora, cobrindo as minhas, tinham vindo as de Josefina. E embora durassem no tempo um minuto, de um certo modo não mudavam porque a essência era a mesma.

— Que sejam felizes.

Marfa voltou a passar o óleo rosado na pele que ia ficando rosada também.

— Mas é assim que você reage? Sua comediante... Confessa que vai esperar que ela o traia com amigos e inimigos até que ele perca a paciência e lhe jogue vitríolo, confessa! Vi um filme assim, compreende? Depois a mulher arrumou uma máscara de cera e ficou linda!

E então? Queria realmente que eles fossem felizes? Não, não, fiquei repetindo a mim mesma. Exasperei-me. Mas por quê, se não o amava mais? Pois não o mandara embora? Pois não tinha acabado o amor?

— Acabou o amor, Marfa.

— Espere até vê-lo com a outra para então saber se acabou realmente.

Atirei a flanela atrás dos livros. Não suportava ouvir mais aquela voz pesada, escorrendo pelo meu ouvido como o óleo que ela passava nas mãos. Comecei a me vestir sem saber aonde ia até que ela perguntou.

— À igreja — respondi.

— Prefiro um café. Dionísia, seja uma santa e me faça um café bem forte — pediu ela dirigindo-se à cozinha. — Estou caindo de sono, um café, Dionisinha...

Fui ao banheiro e lavei as mãos furiosamente. Fiquei olhando enternecida para os meus pulsos finos. Tão delicados, não? Apertei a cabeça que latejava sob as pancadas do sangue. Mas não esperava mesmo que isso acontecesse? Apenas aconteceu tão depressa, estranhei passando a escova nos cabelos. Depressa demais. O cínico.

Desviei o olhar do espelho e voltei para o quarto. Peguei o cigarro que Marfa esquecera queimando na borda do almofadão. Traguei de olhos fechados. Estou meio transtornada mas vou me dominar, eu estava tão bem antes, nem ódio nem amor, ou melhor, apenas amor igual ao que sentia a mim mesma, precisava gostar de mim outra vez! Atirei o cigarro pela janela e despejei generosamente a água-de-

-colônia nas mãos, pronto, estava animada de novo, faltava apenas um café bem quente. E depois, a igreja. E depois, André, que bom sabê-lo à minha espera. Porque ele estava à minha espera, inconscientemente, embora. Meu irmão. Tão iguais nós dois no desespero... Meu irmão.

— Também quero uma xícara! — pedi a Dionísia. — E pão com manteiga, estou com uma fome feroz.

Dionísia trouxe a manteigueira e o pão. O turbante branco parecia mais baixo, apertando como mordaça a testa franzida. Apontou na direção do quarto da minha mãe.

— Tenha a bondade de não fazer barulho que ela está descansando, passou mal a noite, ouviu, Raíza? Quase não dormiu.

— E daí? Não havia de ser por minha causa.

Marfa segurou a xícara com ambas as mãos, como se fosse uma tigela. Soprou a fumaça, divertida.

— Dionísia não acredita nos seus bons propósitos, eu disse que você estava ficando mística mas ela anda muito desconfiada.

— Ora, falar! Palavra não soma não — resmungou Dionísia trazendo o bule de café.

— Eis aí uma verdade importante, essa Dionísia é mesmo um tipo shakespeariano. Não estivesse eu tão exausta de conviver com tipos assim, queria agora traduzir uma história bem simples, onde o personagem é um eletricista. Por que um eletricista não pode ser herói? Uma gente tão simpática, compreende?

Arranquei o miolo do pão e amassei-o nos dedos. Deixei cair a bolinha dentro do aquário.

— Uma bomba atômica! — anunciei ao ver os peixinhos fugirem espavoridos. — Um dia hei de soltá-los no mar, eles precisam de mar.

— Não sei como esses bichos ainda estão vivos, nem eles você deixa em paz — resmungou Dionísia enrolando nas mãos impacientes uma sacola de lona. Meteu-a debaixo do braço. — Volto já.

— Posso ajudar? — perguntou Marfa acendendo um cigarro.

— Muito faz quem não atrapalha.

Marfa riu desabotoando a blusa. Tirou da geladeira uma soda.

— Levei serviço do escritório para casa, preciso trabalhar e não tenho ânimo de levantar um dedo. Com um calor desses a gente só devia tomar gelados e amar. Acho que vou acabar aceitando a proposta do Eduardo...

— Que proposta?

Ela baixou a voz que ficou quase um sussurro:

— Agora você vai ficar verde de inveja mas aguente firme, ele quer se casar comigo, compreende?

— Casar? E aquela noiva?

— Ora, a noiva! A noiva agora sou eu, essas coisas são muito elásticas. Você se lembra como sofri quando ele anunciou que estava apaixonado? Parecia impossível essa reviravolta, eu achava que jamais ele se casaria com uma moça como eu, precisaria pertencer ao Exército da Salvação — acrescentou ela cravando o olhar em mim. — Mas ele acha que tenho qualidades, compreende? Ele acredita nessas qualidades e acredita tanto que estou na obrigação de acreditar também.

No silêncio pastoso foi crescendo o chiado da água fervendo na chaleira. Levantei a cabeça. E surpreendi-me alegre, verdadeiramente alegre com a notícia que acabara de ouvir. Era ela quem ia chegando aos objetivos que eram meus, era ela quem estava sendo generosa com minha mãe, quem estava trabalhando seriamente e ela ainda quem atingia aquela estabilidade no amor que secretamente eu desejara. Mas não tinha importância nada disso. Salvando o próximo eu seria salva. E mesmo não tendo feito nada por ela, sabendo-a na tona, tinha esperança de subir em seguida.

— Marfa querida, se você está feliz, estou feliz — eu disse e vacilei. A festa. A mão rasgando meu vestido, me penetrando. E minha cara de gozo procurando o éter nas bandagens de múmia, "Mais, Eduardo, mais!...".

Abri os olhos num susto. Marfa me observava. Tranqui-
lizou-me:

— Nossa amizade resiste a tudo, uma beleza. Como dizia
Santo Tomás de Aquino... O que é que ele dizia?

Rimos ao mesmo tempo, ô vida! Sugeri uma festa para
comemorar e em meio do entusiasmo comecei a afundar
outra vez, tantos casamentos, não? E se André e minha mãe,
hein? Brutal a diferença de idade, claro, mas para Marfa e
tia Graciana isso não tinha importância, pois já não eram
amantes? Os amantes não se casam? Marfa disse qualquer
coisa que não consegui ouvir, apertei-lhe a mão:

— Você acha, Marfa? Que minha mãe e André...

Ela pegou o bule, impaciente.

— E o que você tem com isso? Por que não cuida da sua
vida? — Serviu-se de café mas não bebeu, ficou olhando na
direção da janela. — Só sei que seria muito bom para ambos, compreende? O tipo é edipiano, ótimo. Ela vem a calhar, vai se sentir desejada, vai escrever até melhor, essas
coisas. Sofreria também mas isso faz parte, precisa viver
aqueles dramas todos que conhecemos, é claro. — Fez uma
pausa e piscou para mim: — Sofrerá principalmente quando descobrir que é a própria filha que resolveu corneá-la.

— Marfa, chega!

— É a melhor maneira de se humanizar, querida. Seus
livros ficarão menos sublimes, menos olímpicos, torpezas e
patifarias vão começar a acontecer de mistura com as coisas boas, compreende?

— Não seja leviana! Um caso desses poderá destruí-la.

— Destruir coisa nenhuma, haja o que houver, será uma
grande experiência, é preciso que ela ame mesmo que se es-
borrache em seguida, é preciso. Não interfira, Raíza, cuide
dos seus homens e deixe os dela — acrescentou Marfa atirando o toco de cigarro dentro da xícara. — A Dionísia fica
possessa quando faço isso.

Minha mãe abriu a porta. Assustei-me. E abri depressa
a torneira para assim ficar de costas, não estava preparada

para encará-la. Molhei os pulsos. Preciso fazer alguma coisa, fiquei repetindo a mim mesma. Tinha que acreditar em alguém mas as pessoas em redor me fugiam como aquela água que eu tentava agarrar. Fechei a torneira. Marfa ia se casar, Fernando também e se calhasse, até minha mãe...

Voltei-me. Agora ela agradecia a lata de chá que Marfa lhe trouxera, "Chá inglês, Marfa? Mas que extravagância...". Marfa fechou a blusa no peito. Diante de minha mãe ficava pudorosa como uma menina. "Estou rica, titia, o escritório está pagando bem. E minhas traduções têm rendido mais."

O diálogo prosseguia calmo. Entendiam-se as duas e sempre tinha sido assim: mesmo distantes, mesmo caladas encontravam-se nas profundidades, como as raízes.

— Mas você não me respondeu, Marfa, vamos, quando é que resolve vir morar aqui? Esta é a sua casa — acrescentou minha mãe tirando uma aspirina do envelope. Dissolveu-a no copo. — Terá liberdade, jamais lhe farei a menor pergunta, todas as vezes que chegar depois das dez, prometo não trancar o portão como as freiras fazem.

Marfa deu uma risadinha. E pôs-se séria, apontando para o copo.

— Mas você não está bem?

Reparei então que minha mãe estava pálida, as olheiras esverdeadas.

— Uma ligeira dor de cabeça, deve ser do calor, passa já. Mas eu dizia que esta casa é a sua casa. Quando virá, filha?

— Eduardo também prefere me ver com vocês. Antes do casamento talvez eu estoure aqui com o meu baú, compreende? Sabia que vamos nos casar? Casar, tia. Eduardo e eu!

Minha mãe tomou-lhe o rosto entre as mãos. Ficaram um instante em silêncio.

— Verdade, Marfa?!

Engoli uma colherada de mel. A conversa das duas tinha o mesmo gosto enjoativo. Tomei um gole de café e deixei cair a xícara.

— Ora, que desastre fui fazer!

— Sempre achei muito feia essa xícara — disse minha mãe inclinando-se para catar os cacos.

Fiquei imóvel vendo Marfa ajudá-la.

— Vi ontem um ótimo filme italiano. Por que vocês duas não vão a um cinema? — minha mãe perguntou enquanto lavava as mãos.

— Não posso, tenho um compromisso — eu disse apanhando a bolsa.

Ela lançou-me um rápido olhar. As olheiras davam à sua beleza um toque triste.

— Raíza e seus compromissos.

— Ela está fazendo mistério, titia — protestou Marfa. — Vai simplesmente à igreja, não é verdade? Hein, Raíza? Você não disse há pouco que ia à igreja?

— Não sei, de uma hora para outra a gente muda tanto... Tenho que ver uma pessoa antes.

— Cretina — sussurrou Marfa cravando as unhas no meu pulso. — Você é uma perfeita cretina, compreende? — E em voz alta, assim que me desvencilhei: — Reze por mim, Raíza!

Minha mãe acendeu um cigarro. Sua expressão era um só apelo, "Raíza, não!...".

— Bom passeio, filha.

Saí mas no elevador tive um impulso quase incontido de voltar, mamãe, mamãe, que loucura! Estava tão bem tudo, por que de repente?... Apertei o botão do andar térreo.

Os saltos dos meus sapatos afundavam no piche do asfalto quente. Calquei mais os pés sentindo um obscuro prazer em marcar o chão como Marfa marcara meu braço. No céu, o sol rompera a nuvem para reaparecer, vitorioso. Fui indo sem pressa. Uma jovem prostituta passou ao meu lado num andar que lembrava o meneio de um barco. O vestido decotado, em cima da pele, deixava nus os ombros sardentos. Mascava chiclete.

Passou em seguida um homem gordo e calvo. Vi-lhe os olhos redondos como duas bolinhas de vidro e pensei em Goldenberg. Voltaria se eu chamasse? E se estudasse até o teclado se gastar como os degraus de pedra da igreja — ele voltaria?

Um carro diminuiu a marcha enquanto os dois rapazes de óculos escuros me convidavam para entrar. Entrei num café. Um homem bebia debruçado no balcão, ao lado de uma mulher de vestido roxo. Vi latarias e garrafas nas prateleiras mas não vi o telefone. Só então descobri que procurava um telefone, preciso telefonar, telefonar! Meu reino por um cavalo! implorava um rei no campo de batalha, eu não sabia mais o nome dele mas sabia que devia ter as mãos úmidas de suor assim como estavam as minhas. O medo era igual, úmido, viscoso. Meu reino por um telefone!

Prossegui andando. Havia adiante uma farmácia, o vendedor era mal-humorado mas eu compraria alguma coisa antes de pedir para telefonar.

— Queria um pacote de algodão.

O homem de avental branco avançou mais a cara lustrosa.

— Dos grandes?

— Dos grandes. Posso usar um instante o telefone?

Disquei. A campainha ficou tocando, tocando sufocada como se estivesse debaixo d'água, lá no fundo. Na parede encardida, escritos a lápis, nomes e números de telefone. Tantos números, tantos. E nenhum me servia. Apertei o fone contra o ouvido, Fernando, responda!

Mas se não o amo mais por que então?... Disquei novamente. Lembrei-me de Diogo: "Você tem medo de ficar só, Zazá. Não me ama mas não quer que eu vá embora para não ficar sozinha. Por que você tem tanto medo assim?".

Fernando, responda! supliquei fechando os olhos, ah, como eu precisava da sua voz, se ele viesse ao menos para dizer, "Meu carneirinho...". Desliguei. O farmacêutico entregou-me o troco.

— Dou-lhe notas novinhas — ele avisou.

Retribuí-lhe com um sorriso. Era como se tivesse adivinhado que eu precisava de bondade, tão bom quando as pessoas resolviam ser boas!

E agora? perguntei parada no meio da calçada. Duas moças passaram radiantes nos seus vestidos de verão. Eram feias, os vestidos eram feios mas elas amavam os namorados que iam encontrar. "Se eles resolverem ir ao clube seria melhor, a gente podia dançar e depois...", dizia animadamente a mais baixa das duas e a outra atalhou-a rindo. A conversa esgarçou-se no ar.

Segui na mesma direção. Na esquina, um homem de cabeleira exaltada e olhos injetados fazia num tom desnecessariamente alto uma pregação a meia dúzia de pessoas que ouviam em círculo. O homem vestia um terno surrado e tinha uma Bíblia na mão. Nos cantos da sua boca fervilhava a saliva branca. "E assim será no fim do mundo, sairão os anjos e separarão os maus dentre os justos. E aqueles serão lançados na fornalha do fogo e ali se ouvirá o choro e o ranger de dentes..."

As pessoas não disfarçavam o desinteresse, era em vão que o orador já encolerizado tentava sacudi-las dirigindo-se com maior insistência a um homem que palitava os dentes. "Serão lançados na fornalha do fogo!", repetia ele enxugando o suor da testa. Mas o homem não se impressionava com nada.

Afastei-me rapidamente assim que o orador me viu. Pensei em André fechado na sua cela heroica, espumejando entre seus dogmas e mitos, escondendo-se atrás deles como tia Graciana se escondia nos seus leques e rendas, ambos completamente ilhados em mundos ideais.

O vento despenteou-me. "Gosto de ver você assim despenteada", disse Fernando afundando as mãos nos meus cabelos. Parecia que tinha sido há tanto tempo. Lembrei-me da carícia nas suas minúcias e senti uma tristeza aguda. Antes eu o considerava perdido porque assim resolvera, mas agora ele estava perdido além da minha vontade e essa era a perda definitiva.

Ainda pensei em ir à igreja mas não queria correr o risco de não sentir nada diante das pedras do altar formando a falsa gruta, das velas se consumindo nos tabuleiros enegrecidos, da imagem com sua roupagem convencional. "Minhas imagens estão aqui dentro", disse minha mãe fechando no peito a gola do roupão. Mas dentro de mim tudo estava vazio. Vazio.

XIII

Bati levemente. Esperei. E ouvi como um eco as pancadas do meu coração. Um gato miou na escada. Alguém tossiu num dos quartos. Fiquei a olhar uma barata que fugia nas tábuas do chão. Tentou em vão entranhar-se numa fresta que era rasa demais para escondê-la. Bati com mais força.

—André!

Então ressoaram os passos dele num andar atribulado. A chave deu uma volta quase completa na fechadura. A maçaneta preta girou. Ficamos um defronte do outro. Ele estava mais magro, a barba crescida. Os olhos tinham um brilho de febre.

— André, André — repeti abraçando-o apertadamente. — Sonhei com você rolando num braseiro, se eu lhe tocasse, queimaria as mãos... Assisti a tudo sem poder fazer nada, nada!

Ele tomou-me desajeitadamente pelos ombros.

— Mas que é isso, Raíza? Está chorando? Que foi que aconteceu, vamos...

Sentei-me na cadeira, enxuguei os olhos e recostei a nuca no espaldar duro. Fiquei olhando o teto. Através da leve camada de esmalte podia ver as marcas do antigo lustre que fora arrancado. Em seu lugar, pendia agora um fio encardido com a lâmpada solitária.

— André, e se eu estiver enganada?

— A respeito do quê?

Fiz um gesto vago. Ele sentou-se na cama. Falou com esforço, dirigindo-se a si mesmo e sem nenhuma convicção. Parecia exausto.

— Tenho impressão de que você se perde com pequeninas coisas, fica se preocupando com objetivos que não podem ser objetivos, tão insignificantes... E assim vai se gastando e quando aparece um alvo maior, não vê esse alvo nem se dá conta de que se dispersou com migalhas. O importante é não desanimar em meio da luta, é resistir! Apertou a cabeça entre as mãos. Devo confessar que às vezes também sou tentado da forma mais cruel, multiplicam-se as ciladas mas não esmoreço, está me ouvindo?

Encarei-o. Que ciladas? Ele ainda falava em ciladas... Tomei-lhe a mão ossuda. As unhas roídas cediam lugar à carne. Acariciei-o como se acaricia uma criança doente que quer fingir que sarou.

— Meu querido André, não se trata disso, é que não consigo mais acreditar.

— Em Deus?

— Não, acreditar na gente, não acreditar em nós! Não acredito mais em mim nem nos outros e é horrível isso, tudo vai ficando tão sem sentido, tão estúpido... É como se eu estivesse representando a farsa da moça que resolveu ser boazinha. Preferível entregar-me simplesmente como todos os outros, os da minha geração — acrescentei sorrindo sem saber por que sorria. — A geração esgarçada, não é a nossa?

— Mas você também não era feliz antes. Ou era? Você e todos os do seu grupo estavam sempre no palco, Raíza, somos os perdidos, somos os malditos...

Debrucei-me na mesa, apanhei um lápis e comecei a desenhar distraidamente numa folha que tinha um borrão de tinta. Como dizer-lhe que ele também representava? E representava tão mal. Decorara o papel e agarrava-se a ele sem talento, sem paixão. O que aconteceria quando descobrisse que a solução era rasgar esse papel? Fiz uma pinta perto da boca do homem que desenhei, um aristocrata de cabeleira postiça e capa sem avesso nem direito, podia usá--la dos dois lados, era indiferente.

— Sabe, André, estou me lembrando agora daquele Virgílio, o herói do último livro da minha mãe. Que tipo! Tanto equilíbrio, tanta retidão, quando a gente pensava que ele estava acabado então virava fênix e renascia das próprias cinzas. Existe gente assim?

André bateu com os punhos fechados nos joelhos. Levantou-se.

— Existe! Acredito no homem, Raíza, e por acreditar no homem é que acredito na bondade, na coragem, no amor. Só espero não vacilar na hora do sacrifício, se for chamado ao sacrifício.

— Que sacrifício?

Ele sentou-se novamente e abriu nos joelhos as mãos exangues.

— E sua mãe?

— Você se transfigura quando fala nela.

Ele passou a mão pelo queixo. Baixou o olhar fugidio.

— Tenho que fazer a barba, Raíza. E dar uma aula em seguida, não será melhor conversarmos noutra hora?

Amassei a folha que desenhei e transformei-a numa bola áspera. Deixei-a cair no porta-papel debaixo da mesa. Era um porta-papel de couro verde, com uma gravura antiga onde dois navios ancorados pareciam meio diluídos no nevoeiro da noite.

— Presente da minha mãe?

Ele voltou o olhar para a direção que eu apontava.

— Presente dela, sim, ganhei neste Natal. — E sorrindo desajeitado: — É tão bonito que não tenho coragem de me servir dele, acho que vou deixá-lo em cima da mesa.

Passei as pontas dos dedos na boca.

— André, vamos jogar o jogo da verdade? Eu faço as perguntas, você responde e depois invertemos os papéis. Vamos?

— Dois dos meus alunos costumam jogar assim. Uma boa maneira de se vangloriarem dos próprios pecados... No fundo, Raíza, eles se orgulham das suas misérias como Antístenes se orgulhava dos seus andrajos. Vejo o orgulho pelos rasgões da tua roupa, Platão lhe dizia.

Tive um sorriso que ele retribuiu com candura. Estava demorando a citação.

— Sinto às vezes uma falta brutal de cigarro, você não tem nenhum por aqui? — perguntei abrindo a gaveta da mesa. E ao dar com um retrato da minha mãe, fechei-a depressa. Remexi a bolsa. — É duro cortar um vício assim de repente.

Teria percebido que eu vi? Olhei-me no espelho do estojo de pó. Quando ele se pôs a falar, fechei o estojo. Não, não percebera e era melhor que fosse assim. Relaxei os músculos. Agora ele contava a história do primeiro e último cigarro que fumara quando tinha dez anos. Estava na escola, tinha terminado a aula quando então se trancou na sala vazia e tirou um cigarro do maço que o professor esquecera na mesa. Mas o professor voltara inesperadamente e apanhou-o em flagrante. Sorriu do seu constrangimento. E deu-lhe então o maço, Pode fumar à vontade, menino, fique com ele. Desde esse dia não voltei a fumar.

Limpei na saia as palmas úmidas das mãos. Só porque não era proibido? quis perguntar. Tirei os sapatos.

— Vamos para o mar, André? Minha mãe me aconselhou o mar, diz que estou num aquário. Mas ela também está num aquário.

— Ela não.

Fiquei olhando para os meus pés. Não? Se ela o amava, estava condenada. Se não o amava, estava condenada ao castigo maior de viver sem amor. Não tinha por onde escapar.

Ajoelhei-me diante dele.

— André, não será tarde demais para qualquer coisa?...

Talvez seja melhor continuarmos exatamente como somos, nos aceitarmos com coragem.

— Mas isso não é coragem, Raíza, é covardia.

— Somos assim tão ruins?

Ele meneou a cabeça com energia. Falava alto e quando ria esse era um riso demasiado forte para ser natural. Conseguiria um dia ouvi-lo falar baixinho? Ah! o medo dos gestos mansos, das palavras mansas.

— Está no Evangelho, *Não te maravilhes se eu te disser, é necessário nascer de novo.*

Tomei-lhe as mãos. E vi no seu pulso uma cicatriz de bordas franzidas como uma boca que se nega a falar.

— Se ao menos eu recebesse algum sinal...

— O orgulho, sempre o orgulho — exclamou ele levantando-se abruptamente. Passou a mão no queixo. — Raíza, preciso fazer a barba, espere um instante, volto já — acrescentou apanhando a toalha. Umedeceu com a língua os lábios secos. Vou tomar água, quer um copo?

— Quero você, André.

Mas ele já saía e não ouviu ou fingiu não ouvir. Fui até a mesa, abri a gaveta: o retrato era um flagrante de uma entrevista, inútil esperar um sorriso mais franco ou uma atitude menos formal. Uma escritora posando junto da sua estante, inatacável a reputação até no detalhe das abotoaduras fechando as mangas da blusa na altura dos cotovelos. Mas o olhar tinha um certo mistério e a boca jovial, de cantos virados para cima, guardava uma ponta de malícia. Parecia me desafiar: descobriu?

Encostei-me na janela. No terreno baldio passeava um cachorro, que parava de vez em quando para farejar o lixo. As nuvens se avolumavam, compactas. Logo mais meu grupo estaria no Ramirez. Ou no Galo Branco que era mais silencioso, Fernando preferia um bar discreto numa tarde assim quente. Parecia-me ver o Anjo com sua roupa leve e mãos alvíssimas, temperando com requintes seu suco de tomate. Ao lado, Fernando com seu terno meio amarrotado, a barba crescida, era preciso manter o tipo que aumentava o encanto de homem que já superou o supérfluo e sorri quando as mulheres se oferecem para escová-lo: aceitava as mulheres mas não a escova. E elas acabavam achando que o desleixo era gracioso nele. Mais desabrochada, mais desenvolta a moça Josefina parecia à vontade com seus cabelos tosados e que formavam agora uma carapuça negra, não, não lembrava mais uma asilada, Fernando soubera escolher para ela um vestido simples mas com caráter. E aconselhar uma maquilagem adequada para seu tipo, só os olhos pintados, os poderosos olhos verdes. Eu então me aproximaria com a naturalidade de sempre mas só a moça se iludiria com essa naturalidade. O Anjo seria o primeiro a me ver: faria elogios à minha elegância, à minha beleza, tão bajulador que eu não teria mais a menor dúvida de que fora realmente substituída. "Raíza querida, você conhece minha noiva?", perguntaria Fernando, sem fazer qualquer movimento para encobrir a mão de Josefina presa entre as suas. Ela me examinaria com um olhar ávido. Para voltar em seguida à expressão anterior, mistura de inexperiência e timidez. Falaria pouco, a sonsa. E fingiria insegurança, a hipócrita. A insegurança que haveria de sentir mais tarde, todas as amadas de Fernando eram inseguras, todas, menos aquela Germaine que sabia que ia morrer. E a insegurança da vida era muito mais forte do que a insegurança do amor. Para comover Fernando, a gata afetaria ainda um certo ciúme de mim. Mas eu estaria de bom humor, simpática, natural. Ou melhor, Fernando sabendo perfeitamente que eu representava, mas sendo generoso demais para impedir que eu prosseguisse. Chegaria a me sustentar na representação, ele sentia sempre um prazer perverso em meio das situações difíceis. Os dentes dela deviam ser escuros, eu tinha uma vaga ideia de que eram escuros, perdia quando dava risada, a freirinha. Mas eu podia rir à vontade, um riso tão luminoso que em redor todos os outros iriam se sentindo opacos. Eu te amo, Fernando. Diga que me ama também!... Ele se voltaria para mim, paciente e doce: "De um certo modo a gente continua amando pela vida afora a mulher que um dia amou...". De um certo modo, não é? Mas, Fernando, essa moça é horrenda, conheci uma moça com essa cara vendendo agulhas na porta de uma igreja, só faltava babar... Ele continuaria imperturbável. Mas entre as sobrancelhas, o ligeiro vinco sugerindo que eu não abusasse, "Raíza, seja razoável, amor". E o *r* arrastado, *amorrr...*

— Podemos ir? — disse André entrando no quarto. Guardou os petrechos de barba na gaveta e apertou a toalha contra o queixo. — Sempre me corto neste lugar.

Examinei-o como se o visse pela primeira vez. Bebeu água mas continuava com a expressão sedenta. Aproximei-me.

— Um talho profundo?

— Não, superficial, mas sangra tanto. Vamos?

Minha sacola estava em cima da cama. Fixei-me no travesseiro baixo. Ali ele rolava a cabeça nas suas noites de insônia. Abria a janela. O calor, o vasto céu. Bebia água mas a água era morna. Deitava-se novamente, de bruços, a fronte úmida de suor. E o sexo rijo.

— Você sofre de insônia, não sofre? — perguntei.

— Como é que sabe?

Fiz um gesto ao inclinar-me sobre o travesseiro. Então senti vindo lá do fundo o perfume da minha mãe.

— Aposto que este botão foi você que pregou — eu disse apontando um botão na fronha. Fora pregado às pressas, com linha amarela. — Não foi você?

— Costuro quando é preciso — desculpou-se ele. — Mas ficam esses pontos...

A verdade me atravessava da cabeça aos pés, como um raio. E me partia ao meio: na metade viva, sentia um formigamento de formigas vermelhas correndo na alegria carnívora da descoberta. A outra parte estava enegrecida, morta.

Na escada, para me fazer passar na frente, ele tocou no meu ombro. Estremeci. Com aquela mesma mão a despia, Ah! o fervor com que deviam se amar na despedida, um para entrar na solidão da velhice, o outro na solidão de Deus. Com que fervor!

— Vou lhe dar um presente — eu disse tomando-o pelo braço. — E vai ser um vidro de água-de-colônia, qual a marca que você prefere?

— Nenhuma, Raíza, eu não uso perfume.

— Mas sua fronha estava perfumada...

Ele voltou-se para mim, concentrando-se.

— Sua tia me deu um vidrinho de perfume daqueles que ela fabrica. Por curiosidade fui abrir e ele entornou um pouco na cama... Fez uma pausa. — Mas por que você está me olhando assim?

Baixei a cabeça.

— Assim, como? É a minha expressão habitual.

Mas não era o perfume dela?... Dilatei as narinas como se o tivesse ali na fronha, um perfume seco, que nada tinha a ver com as flores apodrecidas de tia Graciana, impossível me enganar.

— Que bonita tarde — disse ele parando um instante quando atingimos a rua. — Mas vem vindo uma tempestade.

Forcejando passagem por entre as nuvens, o sol banhava o casario numa luz calma. Segurei o braço de André que dessa vez não fez nenhum movimento para se esquivar. Fomos indo por uma ruela de casas modestas, iguais. Alguns meninos empinavam um papagaio roxo. Duas mulheres proseavam sentadas em cadeiras no meio da calçada. Uma mocinha de tranças debruçou-se numa janela.

— Vou te deixar aqui — disse ele parando antes de atingirmos a esquina. — Preciso ir dar minha aula, estou atrasado.

Seus olhos nunca estiveram tão dourados como naquele instante.

— Já sei, uma aula de latim, *Rosa, Rosae, Rosae!*... Mas ouça, André, por que é que você precisa ser assim tão fiel à minha mãe? Ela não saberá, prometo.

— Adeus, Raíza.

— Espere, não vá ainda!

— Adeus.

Afastou-se rapidamente, os ombros curvos, as mãos nos bolsos, como se estivesse sendo perseguido. "O importante é resistir!", devia estar pensando e tive vontade de gritar, O importante é amar!

As duas mulheres agora me observavam inexpressivamente, esparramadas nas suas cadeiras. A mocinha de tranças desapareceu da janela. Os meninos recolhiam o papagaio de papel. Fui andando e olhando o céu. Encoberto por uma nuvem acinzentada o sol jazia imóvel como uma medalha de ouro fosco. Outras nuvens já conspiravam próximas, fechando o círculo em torno dele. A partida estava perdida.

Andei até ficar exausta. Então tomei um táxi e fiquei ouvindo o português ir contando as dificuldades dos seus três irmãos que eram pescadores na Foz do Douro. O mais velho deles, o Manuel Maria, tinha morrido no mar, "Todos eles vivem no mar e morrem no mar!", rematou o moço resignadamente, ao me dar o troco. Desejou-me felicidades. Apertei-lhe a mão, Vou fazer sua vontade, respondi.

Quando entrei em casa ainda pensava na história do pescador Manuel Maria com seu barco que se chamava *Nossa Senhora da Ajuda*. Quis contar a história a Dionísia mas ela devia estar lidando com massas, senti aquele cheiro antigo de forno quente. E tia Graciana lidava com suas costuras. E minha mãe com seus enredos, não, não deviam ser perturbadas.

Fechei-me no quarto. O chão ainda guardava o calor do sol e era bom senti-lo nos meus pés descalços. Deitei-me no chão morno e recostei a cabeça no almofadão que também estava morno. Os hindus diziam que é preciso ficarmos completamente nus ao menos durante dez minutos por dia. E fechar os olhos e esperar que a alma também deixasse cair o último véu. Abri devagarinho o maço de cigarros. Aspirei-lhe o perfume. As verdades então se revelariam no desnudamento total. Despi-me.

E então? perguntei ao retângulo de céu que via enquadrado pela janela. Seria mesmo verdade? Ingênuo demais perguntar à tia se lhe oferecera um frasco de perfume, está claro que sim, distribuía os vidrinhos a toda gente, teria dado um a ele. E então?...

Agora o céu parecia mais baixo, intratável. Pensei em Wagner e tamborilei no ventre o *Crepúsculo dos Deuses*, Richard Wagner. Seria fabuloso amar um homem com um nome desses e que fosse parecido com o nome, desencadeado, os olhos terríveis como dois furos negros, a cabeleira que qualquer sopro levanta, Richard Wagner. Eu limparia a poeira dos seus sapatos, uns sapatões enormes, com a poeira do mundo. E aceitaria submissa todas as suas traições, um homem assim grandioso teria que amar com grandeza, seriam dúzias de mulheres, eu aceitaria ser a última de todas, tamanha servidão, Raíza, preciso de um anel para oferecer à minha amada! E eu me transformaria num anel, aqui estou, meu amor. Raíza, preciso de um navio para fugir com minha amada! E eu seria o navio, um navio fantasma no meio do mar. Richard ou Ricardo... Ricardo Coração de Leão, um coração leal, homem de um só amor e de uma só bandeira. A cruz no peito. O cavalo. A espada. "O vosso amor é uma honra para mim!..." O castelo. A flor guardada sob a cota de malha, *rosae, rosarum...* Como seria o rosto escondido no capacete? Não, não era um capacete, era uma corola, "Raíza, acorda!". No ar, o perfume de rosas. Paizinho, é você?

Acordei no meio da escuridão. Anoitecera e soprava agora um vento ardente. Senti o cheiro dessa tempestade se aproximando embuçada, se o vento não gemesse tanto podia até ouvir-lhe os passos.

Ainda no escuro, calcei os sapatos, escolhi o mais leve dos vestidos e enquanto fechava o zíper nas costas pensava na prostitutazinha de vestido em cima da pele e ombros polvilhados de talco. Vesti o impermeável e olhei na janela. A tempestade parecia mais próxima, era preciso chegar antes dela. Amarrei na cabeça um lenço e saí na ponta dos pés, também embuçada. Havia um tilintar de talheres na sala, tia Graciana devia estar jantando mas minha mãe estava no quarto, havia luz por debaixo da porta. A sacola de couro escorregou do meu ombro e caiu no chão. Tive um estremecimento. Agora ela sabia que eu ia sair e sabia para onde estava indo. Na rua, fugiam os transeuntes, fugiam os carros. Então perdi toda a pressa. A primeira gota de chuva caiu certeira na minha boca. Quando consegui um carro, já tinha a cabeça completamente molhada. Afundei-me na almofada do banco enquanto o céu derramava. Os relâmpagos doíam nos olhos. Lembrei-me do Domingo da Ressurreição, "A gente ressuscita com qualquer tempo, menina!".

Pensei então em voltar para casa mas o chofer mal-humorado imprimira tamanha velocidade ao carro que agora já estávamos na metade do caminho. Torci o lenço molhado e passei-o nas pernas. Lembrei-me de Marfa que naquele instante devia estar trabalhando, quase no fim a tradução de Dickens, quase no fim o café dentro da garrafa. Eduardo apareceria mais tarde. "Você faz o alarde mas quem vai ao sanatório sou eu", ela dissera. Quem vai ao sanatório sou eu, quem trabalha sou eu, quem ama sou eu e são meus ainda os pequenos gestos de generosidade. Lembrei-me do seu olhar estrábico: "Vai sofrer muito, principalmente quando souber que é a filha que resolveu corneá-la".

— É esse o número? — perguntou o chofer arrefecendo bruscamente a marcha do carro.

Lancei um olhar ao casarão que tinha qualquer coisa de heroico enfrentando a chuva. Entrei como uma ladra. Uma mulher de impermeável preto e maleta na mão descia a escada. Quando passou por mim vi de perto sua cara enegrecida. Mostrou-me um sorriso esverdinhado. Devia ser a hóspede do primeiro quarto do corredor, *Parteira Diplomada*. Alguém ia nascer ou não nascer nunca.

Encostei-me ofegante na porta.

— André!

A luz fraquejou piscando indecisa. Um raio estourou próximo. A luz foi então diminuindo até que a casa inteira mergulhou na escuridão. Torci a maçaneta.

— André — supliquei batendo com força —, eu sei que você está aí!

A maçaneta girou contra meu corpo. Uma lufada de vento desgrenhou-me e quando pude afastar os cabelos que me tapavam os olhos, André já estava na minha frente. Um relâmpago iluminou-o e vi que sua cara tinha a mesma lividez da tempestade. Avançou as mãos que pareciam de gesso e agarrou-me com tamanha violência que gemi de dor. Arrastou-me para dentro do quarto. Senti seu hálito escaldante. Mas o que era aquilo?... André, não, assim não quero! supliquei tentando desvencilhar-me. Assim não!

Quando tombei de costas sob o peso do seu corpo, não pude ver sequer se foi ele ou se foi o vento que fechou a porta com estrondo.

XIV

E então? Então, nada. Nada, repeti vagando o olhar na semiobscuridade do meu quarto. Fixei-me na minha capa branca, nítida em cima da poltrona. Voltei-me de bruços na cama. Doía-me o ombro direito que se machucara quando ele me atirou ao chão. Por que aquela brutalidade? Por que o ódio? Ou melhor, nem era ódio, era desespero. Amava como argumentava. Quando sentia o terreno falhar, levantava a voz, dava falsas risadas, gesticulava lançando mão desses pobres recursos que não convenciam nem o adversário nem a ele próprio.

Abracei o travesseiro. O querido André... Eu devia saber que seria assim, não, não fora meu amante, fora meu inimigo. E aquele beijo seco, arenoso. E aquelas mãos ossudas, contundentes, tantos ossos, tantos. Ele tinha ossos demais. O que é que eu fora buscar, afinal? O amor? Mas que amor? Uma lembrança tão sem beleza a daquela posse transformada na mais áspera das polêmicas, nem prazer tivera, nem sequer a certeza de que minha mãe e ele eram amantes, continuava a dúvida pois o fato de ter-me aceito não significava resposta, não significava coisa alguma. E então?...

Passei a mão no ombro dolorido. Então ficara aquela nódoa roxa, o ombro devia estar roxo. E além da nódoa, a despedida sob o céu que era roxo também. Tinha parado de chover quando ele abriu a janela. Os fusíveis deviam estar queimados, ele tentou acender a luz mas sentiu um indisfarçável alívio na escuridão. Tive a mesma sensação, melhor não nos vermos, melhor nos separarmos como nos encontramos, protegidos pela noite. "Você deve ir agora", pediu ele em voz baixa, as mãos apoiadas na janela, sem se voltar para mim. Eu quis dizer qualquer coisa mas não encontrei nada para dizer. Qualquer palavra seria representação e eu estava cansada demais para representar. Vesti o impermeável. Toquei de leve no seu braço. Ele parecia petrificado. "Está bem, Raíza, não se preocupe. Tudo o que aconteceu tinha que acontecer, você não tem culpa."

Pela primeira vez ele falava baixinho comigo, no tom que eu tanto desejara. Apenas não senti nenhuma emoção. Apertei-lhe o braço afetuosamente, grata por aquele silêncio e por aquela penumbra. Saí sem olhar para trás. Quando a noite me envolveu no seu hálito roxo, tive uma alegria súbita de libertação. Retardei o passo procurando não pisar nos riscos da calçada. E sem saber por que lembrei-me do meu antigo professor de matemática, o Professor Félix. Afinal, ele usava mesmo uma peruca? Nunca pudemos saber ao certo, aquele cabelo e aqueles teoremas eram sempre um mistério. "Na nossa família há muitos mistérios", murmurara tia Graciana com seu labiozinho curto. Na galeria dos mortos e dos vivos, o mistério.

E eu continuava sem saber. Mas essa dúvida já não me inquietava. Era como se eu tivesse me deitado ardendo de febre e amanhecesse assim, sem febre, apenas cansada. Passou? perguntei em voz alta. Afastei o lençol e fiquei a olhar para o impermeável atirado na cadeira. O pobre André falando ainda em culpa... Mas culpa do quê, santo Deus? pensei voltando-me de bruços. A dor do ombro desapareceu. Falarei com ele, tudo vai se arranjar, pensei fechando os olhos para dormir.

— Raíza, Raíza!

Marfa estava debruçada sobre mim. Sacudiu-me.

— Vamos, levante. Mas depressa, compreende?

— Esse ombro está machucado — gemi. Pelas frestas da veneziana vi que já tinha amanhecido. Bocejei, desgostosa.

— Marfa, estive esta noite com André.

— Esta noite?

— Fui ao quarto dele. Ah, tudo errado!... Fiquei envergonhada como se tivesse cometido um crime, não é esquisito?

— Que horas você saiu de lá?

— Passava da meia-noite. Por quê?

— E o que foi que ele disse?

— Quase não falamos, ele que fala tanto ficou mudo de repente, tudo tão sem graça, sabe como é?... Na despedida pediu-me para esquecer o que houve. Nem ao menos nos olhamos, nem isso... Uma decepção. Deitou-se comigo furioso, como se estivesse deitando com o Diabo.

Ela abriu as janelas. O dia estava cinzento.

— Vamos, vista-se depressa.

— Que horas são?

— Quase duas — disse ela num tom que não reconheci.

— Que foi, Marfa?

— Vamos, vista-se.

Atirei longe o lençol.

— Mas que foi que aconteceu?

Ela sacudiu a cabeça num gesto exasperado. Enfiou os dedos nos cabelos em desordem e puxou-os furiosamente para a nuca. Os olhos tinham a mesma expressão patética com que enfrentava as ressacas.

— O André, compreende?

— O que é que tem o André? Responda, que é que tem o André? — gritei saltando da cama. Minhas pernas estavam tão bambas que precisei apoiar-me na poltrona para não cair. — O que foi que aconteceu com ele?

Ela encarou-me. Falava em voz baixa, sem despregar os olhos de mim.

— Cortou os pulsos, compreende? Cortou os pulsos esta madrugada, está no hospital.

— É grave?

— Foi encontrado agonizante.

Cruzei os braços no peito e verguei para a frente como se tivesse levado um soco.

— Agonizante?

— A dona da casa viu que ele não apareceu para o café e estranhou, bateu na porta e nada, compreende? Então resolveu entrar. Ele estava de joelhos ao lado da cama, o colchão empapado de sangue...

— De joelhos?

— De joelhos, os braços estendidos em cima da cama, agonizante. Daí ela avisou a sua mãe, estão as duas lá no hospital, eu estava saindo para o escritório quando me telefonaram.

— Agonizante, Marfa? Agonizante?!

Ela deu um murro na mesa, "Merda!". Acendeu um cigarro.

— Mas vista-se logo, temos que ir ajudar a sua mãe, ela está sozinha com a tal dona da pensão.

Comecei a tremer. Minha mãe... Minha mãe! Tapei a cara. Meu Deus, e minha mãe?!...

— Ela falou com você? Que foi que ela disse, Marfa?

— Só falei com o enfermeiro, ele estava afobado, ia ajudar o médico na transfusão... Falou em ligar o sangue, sei lá!

Ligar o sangue. O sangue correria do frasco para o tubo e do tubo para a agulha à procura da veia, era preciso encontrar os caminhos, depressa, André, depressa!... Apertei o queixo para que os dentes não se chocassem uns contra os outros fazendo o horrendo som de castanholas. Apanhei o vestido caído no chão, em cima dos sapatos tombados um ao lado do outro, enegrecidos pela chuva. Meu Deus, meu Deus, meu Deus, fiquei repetindo. Meus lábios estavam grudados como se entre eles houvesse cola. Com uma nitidez atroz revia o casarão no meio da tempestade. E a mulher no alto da escada, o sorriso verde, a valise preta na mão.

— Não era a parteira, era a morte.

Marfa olhou-me fixamente.

— Que morte? — Teve um gesto impaciente. — Raíza, pare com isso, compreende? Não faça agora a histérica porque não tem ninguém para cuidar de você, vamos, não fique aí parada, vamos!

Afundei a cara no vestido e fiquei chorando bem baixinho para não irritá-la, chorando baixinho e encolhida, com vergonha da minha nudez mas sem forças para cobri-la.

— Eu podia ter impedido...

— Impedido? Não seja pretensiosa, André era capaz de abrir as veias nos dentes se alguém se lembrasse de lhe tirar a navalha. Mas vamos, vista-se depressa!

A chuva recomeçara a cair. E minha mãe? Havia luz no seu quarto quando saí. Quando voltei, a porta estava fechada, mas através da porta eu pude sentir que ela me olhava. Sabia de tudo.

— Marfa, ela sabe.

Tia Graciana entrou fechando no peito a gola da camisola. O labiozinho curto tremia molhado de lágrimas.

— Minhas queridas, estou tão chocada! O pobre André... E Pat? Como deve estar sofrendo com tudo isso! Eu estava perto quando telefonaram, vi então que algo tinha acontecido porque ela foi ficando branca, tão branca... Pensei que fosse qualquer coisa com Samuel ou mesmo com vocês, fui buscar depressa meu vidrinho de água de melissa mas quando voltei ela já parecia ter se recobrado, oh, criatura extraordinária, nunca vi controle igual! André cortou os pulsos, foi dizendo enquanto saía. Não acorde a Raíza, pediu ainda. E não disse mais nada. Fiquei na maior aflição, me conte agora, Marfa, como foi isso?

— Ele cortou os pulsos de madrugada e está no hospital. Também não sei detalhes, tia.

— Mas aonde vocês vão? Eu gostaria de ir junto, não querem me esperar? Ao mesmo tempo, não sei se terei coragem, fico tonta quando vejo sangue. Pobre da Pat, tão amiguinhos! Ele era uma flor...

Marfa me conduzia como se conduz uma cega. Quando entramos no elevador, Dionísia apareceu na porta do apartamento. Encarou-me.

— Não me olhe assim que eu não queria isso!

— Ninguém queria — disse Marfa acendendo um cigarro. Colocou-o entre meus dedos. — Se ele cismou de se matar quem é que podia impedir? Já tinha tentado duas vezes, compreende? Esta é a terceira.

Lembrei-me da cicatriz no pulso ossudo.

— A terceira? Quem foi que te contou, Marfa?

— A tia. Tivemos uma longa conversa sobre isso, ele tinha mania de suicídio. E não devia, compreende? Tão às voltas com igreja, não combina...

— Ninguém me disse nada. Por que é que ela não me avisou?

— Avisar para quê? — perguntou Marfa cobrindo a cabeça com o capuz. Arrastou-me com violência para o meio da rua. — Tenho nojo de guarda-chuva mas ainda acabo comprando um. Onde um táxi numa hora dessas, onde?

Escondi a cara na gola do impermeável. A chuva caía mais branda, Ah, se ao menos desabasse uma tempestade, era preciso que fosse uma tempestade! "A gente ressuscita com qualquer tempo, menina." Afundei a cabeça no peito de Marfa, André, respire fundo, resista! resista!

— Raíza, controle-se, pare de gritar que estamos dando escândalo!

— Que vai ser da minha mãe? O que vai ser dela?...

— Raíza, não adianta, compreende? Não adianta gritar, controle-se, por favor!

Apoiei-me no seu braço e fechei os olhos. Os carros passavam lotados. E a chuva escorrendo, uma chuva mansa, sem caráter, ah! por que o céu não despejava duma vez toda sua água? Era bom afundar para sempre mas seria preciso muita água, seria preciso um mar.

— Marfa, ela me aconselhou tanto!

— Aquele táxi estava livre. Por que não parou? O grande cão.

— Ela me aconselhou ir para o mar, a minha querida Patrícia, a minha querida — gemi sufocando os soluços. — Eles ficariam juntos, eram tão felizes juntos! Marfa, Marfa, ele não pode morrer, ela precisa dele!...

— Quer dizer que você o devolve? Muita generosidade da sua parte — acrescentou ela tentando sorrir. Mas seus lábios pareciam gelados. — Eu não fazia ideia de que você fosse generosa assim.

Através das lágrimas, encarei-a, suplicante. Vi então que seus olhos estrábicos estavam apenas tristes. Afastou os cabelos que se empastavam na minha testa.

— Chorar na chuva tem essa vantagem, ninguém percebe que a gente está chorando. É só não dar berros. Você tem um lenço? Tome o meu.

Já não chamava os carros com a impaciência inicial. Estávamos completamente molhadas, não importava mais nada, restava-nos ficar olhando os carros que iam e vinham. E que às vezes espirravam um jato de lama.

— Marfa, eu sei que sou mesquinha, eu sei que não presto mas juro que daria minha vida em troca da vida dele se com isso a fizesse sofrer menos. Eu daria minha vida...

— Está certo, está certo, não quis te ferir, chega de ferimentos que para meu gosto há feridos demais.

Fiquei imóvel, em suspenso. Sentia agora a presença de André ali ao lado, os maxilares contraídos, as mãos escondidas nos bolsos: "Há o tempo de espalhar e o tempo de juntar, o tempo de odiar e o tempo de amar", ele repetiu enfático. Passara o tempo de ferir e chegara o tempo de cicatrizar. Que se fechassem depressa os cortes, desejei vendo a água da chuva correr para o bueiro. Fechei os punhos. Nada podia fazê-la parar? Nada?

Um carro brecou roçando em nós. Marfa abriu a porta e empurrou-me para dentro. Entrou em seguida, "O senhor é um santo!", disse ao chofer. Deu-lhe o endereço do hospital e acendeu um cigarro.

— Precisava chover justamente hoje, não? — Fez uma

pausa. Fungou exasperada. — Mas ele não ia ser padre? E então, como é que ele decidiu se matar? Não há um inferno para os suicidas? Ele não podia fazer isso!

— Ele via na morte uma espécie de sacrifício — comecei baixinho. — Também não sei que sacrifício será esse, também não sei. Mas quando me abriu a porta sei que já estava resolvido — prossegui enxugando as mãos. — A decisão já estava tomada, era como se ele estivesse à minha espera, como se precisasse de mim para isso...

Calei-me. E fiquei olhando um homem colhendo as laranjas que tinham rompido o pacote e se espalhavam pelo chão. Algumas rolaram para debaixo dos carros. Marfa arrancou o capuz.

— Esse calor e essa chuva — resmungou cruzando as pernas. Examinou a meia que se rompera no tornozelo. — Tem pessoas que nos são endereçadas como cartas, compreende? É como se alguém pusesse uma carta no correio para chegar direitinho em nossas mãos, lindos os tais envelopes fechados. Mas abra para ver... Tia Patrícia parece ter sido escolhida a dedo para receber essa bomba...

Ficamos em silêncio, olhando em frente. O motorista grandalhão e moreno guiava com calma, a cantarolar baixinho uma canção napolitana, *"Cuore... cuore... ingrato!".* Era só o que ele sabia da letra, o resto era um *"lá, lá, lá"* que desfiava meio distraidamente.

Entrelacei as mãos que formigavam.

— Marfa, eu quero rezar.

— Pois reza.

— Não é isso, quero ficar na igreja, se eu for pedir esse milagre estou certa de que Deus me atenderá, eu sei que não vai me negar essa graça, será uma oportunidade que dou a Ele e que Ele me dá — acrescentei animando-me. Inclinei-me para o motorista: — Por favor, volte até a avenida, depressa!

Ela atirou a ponta de cigarro pela janela. Encolheu os ombros.

— Se é que Deus existe, a ele devemos toda esta bela trapalhada. Você devia estar revoltada, compreende?

Fui tomada de pânico ao notar que o motorista ouvira. Era como se Deus estivesse ali na direção.

— Não fale assim — implorei em voz baixa. — Você não sabe o que está dizendo, Marfa, Ele não há de permitir...

— Que sabemos nós das suas permissões?

Lancei um olhar ao céu pesado. E seria um milagre simples desde que André era jovem demais para morrer tão facilmente. O sangue que ensopara a cama fora substituído e já dominava em suas veias, enérgico como sangue ao qual se juntara: "É preciso resistir!", ele vivia aconselhando. É preciso, sim, André, é preciso!

As nuvens fechavam-se como um muro. Lembrei-me daquela tarde distante, a primeira em que o encontrei na sala com ela: "André, esta é a minha filha". Tanta coisa tinha se passado, tanta. Contudo, a antiga pergunta persistia, a pergunta que fiz a mim mesma naquele instante e que ainda não tivera resposta: "Será esse o namorado da minha mãe?".

O chofer parecia perdido nas ramificações das ruas. Orientei-o. Deixara de cantarolar e agora nos olhava inquieto através do espelhinho do carro.

— Aconteça o que acontecer, eu voltarei, fique à minha espera, compreende? — disse Marfa apertando minha mão.

— Lá está sua igreja. Não saia sem eu chegar, ouviu bem? Não demoro — acrescentou me impelindo para fora.

Quando me voltei em meio da escadaria, ela ainda me vigiava de dentro do táxi, à espera de que eu entrasse para então partir. Senti-me menina outra vez. Minha prima mais velha era quem me dirigia como nas antigas brincadeiras e embora eu me rebelasse com sua autoridade, no fundo do coração queria que fosse assim.

A igreja estava quase vazia. Sentei-me encolhida no degrau que dava acesso ao altar da Virgem e fiquei olhando as velas acesas, espalhadas por entre as pedras que formavam o aconchego da gruta. Aspirei o cheiro ardente das chamas.

A forma ambígua como Marfa avisara: "Não demoro...". Era como se dissesse que não havia mais nada a fazer lá.

Mais nada, Marfa? Fechei os olhos. Podia imaginá-lo nos preparativos para a morte: a roupa preta. A cama arrumada. Os joelhos no chão duro. E a oração feita em voz alta, as mãos fortemente entrelaçadas. Havia alegria em sua voz, a alegria de ter vencido o medo, pela terceira vez tê-lo vencido diante do fio da navalha. As antigas cicatrizes indicavam, experientes, a direção dos golpes. E a dor virando quase um prazer a fechar num espasmo os maxilares apertados. A vertigem. O suor gelado pingando no nevoeiro. E de repente, como um rasgão em meio da vertigem, o momento de lucidez total, aquele em que o instinto grita que é preciso amarrar os pulsos porque de qualquer forma é sempre melhor viver. É sempre melhor viver!... Mas o sangue escorrendo pelos braços estendidos compõe, na perfeição, o gesto da oferenda. O cansaço. A sonolência. Lá longe — mas bem longe — alguém chamando numa voz que vai-se dissolvendo no éter, André!... E as pancadas mais próximas que podem vir da porta ou do coração.

Pensei no meu pai. E concentrei-me na oração sem palavras, só o pensamento ardendo como aquela vela equilibrada na pedra e cuja chama parecia querer me alcançar. Cravei as unhas nos braços, as unhas curtas demais. Não vai me negar essa oportunidade, não é mesmo? perguntei abrindo as mãos no chão. Houve um arfar de velas que me fez sorrir secretamente. Acabávamos de fazer um pacto: eu retribuiria o milagre com um outro milagre que seria eu mesma nascendo outra vez. Não mais as antigas paixões, as antigas dúvidas. Não mais o medo — milagre maior. "É preciso lutar!", ele me ordenara tantas vezes. Embora inconsciente, empenhava-se neste instante na mais difícil das lutas, André, cuidado!

— A menina está bem?

Levantei a cabeça. Um padre velhinho estava inclinado sobre mim. Passei nos olhos a manga do impermeável e em meio das lágrimas descobri que era esse o gesto da minha infância. "Raíza, mas onde está seu lenço?" Procurei-o no fundo do bolso.

— Estou melhor.

— Quer se confessar?

Senti uma última lágrima descer sinuosa e se espalhar pela minha boca.

— Já me confessei, padre. Agora espero um milagre.

Ele baixou os olhos encobertos por uma membrana como os olhos dos cegos. Parecia apreensivo.

— Um milagre? É caso de doença?

— Meu irmão está agonizante.

Ele calou-se e eu vaguei o olhar pelas nódoas da sua batina. Depois desci até seus sapatos cambaios, de bicos redondos. Tinha pés de menino.

— Se precisar de mim, me procure — pediu com doçura. Passou a mão na minha cabeça. — Deus te abençoe, filha.

Seus passos ressoaram frios na poeira da laje e se perderam novamente. Em algum vão da igreja alguém tossiu. Abri o lenço para que secasse ao calor das velas. Apoiei as costas na parede. E de repente tudo aquilo me pareceu já ter acontecido há muito tempo: era como se em outra tarde igual eu tivesse estado naquele mesmo lugar, fazendo os mesmos gestos e à espera do mesmo milagre enquanto secava nos joelhos o lenço molhado de lágrimas. Tudo estava disposto como já estivera antes. O acontecido ia-se repetir, por experiência eu sabia que nada podia ser mudado e embora me doesse a certeza do inevitável, cheguei a sentir um certo alívio porque esse desespero era meu conhecido e por conhecê-lo, podia agora suportá-lo.

Não haveria o milagre. Dentro em pouco Marfa apareceria sem pressa, naquele andar de quem não precisa mais se apressar. Diria: "Acabou-se, compreende?". Ou nem diria nada, apenas me lançaria um olhar penalizado e eu ficaria sabendo, acabou-se.

Lembrei-me do nadador tragado pelas ondas e do meu rancor pelo mar que não esperou pela corda. Mas lembrei-

-me também de que quando chegou a noite e vi as ondas estourando na pedra, esqueci o nadador, ah! eu amava o mar, amava-o acima de tudo, podia acontecer o que fosse e eu continuaria a amá-lo com um amor que seria uma condenação se nele não houvesse alegria. Que importavam os nadadores que iam e vinham? Ele continuava. Cruzei as mãos. Seja feita Vossa vontade, seja feita Vossa vontade. Mas que ao menos — ao menos, meu Deus! — ela não sofra muito.

Em meio de um desfalecimento, vi quando Marfa chegou. Aproximou-se e ficou me olhando a uma certa distância. Levantei-me. E esperei que ela dissesse o que tinha a dizer.

XV

Antes de distinguir o contorno do vulto, senti seu perfume.

— Mamãe...

Ela sentou-se na cama. Devia estar sorrindo quando se inclinou para me beijar. E de mãos dadas, em silêncio, ficamos ali no escuro.

— Há quanto tempo estou dormindo?

— Desde ontem de tarde, filha. E já está entardecendo outra vez, você dormiu muito. Vamos acordar?

"Tempo de dormir e tempo de acordar." Sobre ele se fechara a tampa do caixão, não, ele não podia citar mais nada lá em meio das flores onde estava agora.

— E o enterro?

Ela demorou para responder. Quando falou, foi num tom firme. Triste mas firme.

— Os tios vieram buscar o corpo, aqueles tios que moravam longe. Pois vieram, indiferentes, mas vieram buscá-lo para que fosse enterrado no jazigo da família, na cidadezinha onde ele nasceu. Tem um nome tão bonito, Rio Verde...

— Não choraram?

— Não. Pareciam preocupados em voltar o mais depressa possível, liquidar o assunto com um mínimo de trabalho. E despesa. Pude ver então como André foi criado e entendi melhor sua morte.

— Mamãe, eu queria dizer que...

Ela me interrompeu.

— Não precisa dizer nada, Raíza. Está tudo bem.

Encostei a face na palma da sua mão.

— Eu queria ficar assim com você o resto da vida.

— É muito tempo, filha. Quer um cigarro?

À luz da chama do fósforo seu rosto se acendeu com uma vermelhidão de brasa.

— Eu queria ter a certeza, mamãe, eu queria tanto saber... Vivi num inferno e infernizei todos em redor, nem nos sonhos tinha paz. Via vocês dois juntos e acordava tão desesperada, queria ter certeza...

— Tem agora?

— Não, não tenho. Aconteceu tanta coisa e ainda não sei.

— E quer saber ainda?

Sentei-me na cama, enlacei as pernas e abri os olhos para a escuridão. As brasas dos nossos cigarros iam e vinham riscando o negrume num código indecifrável.

— Não, não me interessa saber mais nada. Não me interessa mais, é como se tudo isso nunca tivesse me preocupado. Será que estou assim porque ele morreu? Ele não precisava ter morrido...

— Precisava, Raíza — murmurou ela brandamente, acariciando minha cabeça. Fez uma pausa. — Mas passou e a prova disso é que você já não se interessa mais em saber. Passou — repetiu ainda num tom tão seguro que não admitia réplica. Era como se dissesse: passou a chuva. E não seria preciso verificar que não chovia mais.

— Como você é boa, mamãe. Se eu estivesse em seu lugar, estaria agora nem sei como...

— Estaria exatamente como eu estou.

Fechei os olhos. Doíam-me as pálpebras inchadas.

— Quero me levantar e ao mesmo tempo me vem um de-sânimo, poderia dormir vinte anos.

— É efeito da injeção, doutor Marcelo deu uma injeção em você, está lembrada? O médico lá do hospital, foi ele quem nos trouxe.

A escada da igreja pareceu desdobrar-se em mil degraus na minha frente. A chuva continuava a cair mas sem convicção. "Pode se apoiar em mim", disse Marfa passando o braço em torno da minha cintura. Olhei em redor na esperança de encontrar o cachorro perdido: mais do que a morte de André, doía-me a certeza de que não veria nunca mais o cachorro de orelhas caídas e cinto esfiapado pendendo do pescoço. Entramos no carro pequeno e aconchegante. O homem moreno — os óculos de grossos aros pretos, o suéter preto — olhou-me demoradamente. Minha mãe estava no banco de trás. Então tapei a cara com as mãos e encostei a cabeça no ombro do homem que guiava devagar e silenciosamente. Lembrava-me bem do cheiro do seu suéter de lã, um cheiro repousante de armário antigo, a indicar que o suéter devia ter ficado muito tempo no fundo de uma gaveta para adquirir aquele perfume de madeira. Que madeira seria? Eucalipto? Ninguém dizia nada e eu achei bom que fosse assim.

Lembrava-me também de que não quis descer do carro como não quisera sair da igreja, era tão raro achar os lugares certos... Além do mais, enquanto o homem de óculos dirigia eu não precisava pensar em nada, nem pensar nem agir, ah!, se fosse possível ficarmos os quatro — minha mãe, Marfa, ele e eu — rodando assim até o fim dos tempos, rodando sem parada e sem destino. Seria como a carruagem fantasma do homem de chapéu alto conduzindo a filha: ninguém podia detê-los, nem os cavalos podiam parar jamais, estavam condenados a continuar rodando pela noite eterna, sempre o homem de chapéu alto ao lado da menina. Quero ficar aqui, mamãe, implorei agarrando-me ao banco do carro. "Mas já chegamos, Raíza, o Doutor Marcelo precisa voltar ao hospital", disse ela baixinho, tentando puxar-me para fora. Estendi a mão ao homem do suéter com cheiro de árvore: ele mesmo era como uma árvore, a única misteriosamente firme em meio do caos. Ela então tomou-me suavemente pelos ombros. Encarei-a. Pela primeira vez depois do que acontecera, pude encará-la. E senti de repente tamanho bem-estar que rompi em pranto. Ela também era uma árvore. Apertei-a com força, Não me abandone, mamãe, fica comigo!

Fica assim comigo, pedi-lhe ainda quando me deitei. Em contato com o frio do lençol lembrei-me da mulher de valise preta e sorriso esverdinhado, não, aqueles não eram dentes mas pedregulhos verdes de limo cobrindo a sepultura de André. Não me abandone, mamãe, repeti quando puxaram o lençol até meu pescoço. O homem de suéter preto inclinou-se então com a seringa e como ele cheirasse a eucalipto, estendi-lhe meu braço sem resistência. A voz da minha mãe foi ficando espessa como mel a escorrer do tronco. Penetrou na minha veia, "Dorme, Raíza...".

— Que médico é esse?

— Foi quem tratou de André. Ajudou-me tanto lá no hospital, foi tão bom, tão bom. Já telefonou hoje para saber notícias, ficou de vir mais tarde fazer uma visita para você. É jovem mas tão experiente, tão sério.

Meus olhos encheram-se de lágrimas. Sutilmente, muito sutilmente ela tentava agora desviar minha atenção para o médico. "Ficou de vir fazer uma visita", disse num tom distraído, de quem não está realmente dando nenhuma importância a essa visita. Beijei-lhe a mão.

— Todos ajudaram, só eu fugi como um rato.

— Não fale assim, filha, eu não queria mesmo que você fosse ao hospital. Para quê? Já estava tudo acabado. Ele não sofreu.

— Quis ficar criança outra vez, mamãe, só vocês adultos e eu diminuindo, mais encolhida do que uma noz dentro da casca...

— Mas você ficou uma criança! Foi a única oportunidade que tive de tê-la de novo nos braços.

Fechei os olhos. Ela poderia ter dito, foi preciso que ele morresse para tê-la outra vez assim comigo. Recostei a cabeça nos joelhos. E senti de repente a presença de André ali ao lado, um contorno feito de sombra, só os olhos acesos, cravados em mim: "O importante é lutar", disse no seu tom fervoroso. Esfreguei os olhos nas palmas das mãos.

— Ele chegou a te reconhecer?

— Num primeiro momento acho que sim... Sorriu numa expressão tão feliz, nunca o vi com essa expressão. Mas foi só um instante, logo perdeu as forças e ficou inconsciente. Tudo não durou mais do que três horas, nem isso.

— E não deixou nenhum bilhete? Nada?...

Ela demorou para responder.

— Deixou uma carta para mim.

Ele tinha que deixar uma carta. A carta do sacrifício. Era como se a tivesse ali diante dos olhos, a letra desamparada, contrastando com o tom veemente da justificativa, "Vou ao encontro de Deus!". Alguma citação entre aspas. E o nome lá no fim, retorcido e agudo como um pedaço de arame farpado, André. Podia também ser uma carta de amor.

— Estou fazendo você sofrer, não quero mais falar nele!...

Ela inclinou-se. Seus olhos brilhavam singularmente.

— Você deve falar nele todas as vezes que tiver vontade, está me ouvindo? Todas as vezes. Raíza, nada de ficar guardando coisas aí dentro — acrescentou segurando minha cabeça entre suas mãos. Vamos, vai me prometer que me falará nele sempre que tiver vontade!

— Prometo.

Ela beijou-me no rosto. Senti tamanha calma que pensei que fosse dormir novamente.

— Ele não tinha vocação para padre — prosseguiu ela na sua voz profunda. — Ele tinha vocação para a morte. Fez duas tentativas, eu sabia que viria uma terceira e que essa seria definitiva. Precisava só de um pretexto.

— Eu fui o pretexto.

— Todos nós fomos, Raíza. Quando eu quis afastá-la, foi justamente para que um dia você não se sentisse culpada.

Fiquei olhando para minha mãe. Ou foi por ciúme?... Nem ela decerto sabia, nem eu, não saberíamos nunca e era preferível que tudo ficasse mesmo na penumbra, exatamente como estava agora seu perfil: desvendava-se o contorno da silhueta desde que meus olhos já tinham se afeiçoado ao escuro. Mas a silhueta ia se descobrindo aos poucos, o pormenor parecia desaparecer. Nunca eu a tivera assim tão exposta e ao mesmo tempo tão oculta.

— Ele te amou tanto, mamãe. Como ele te amou!

— Raíza — começou ela baixinho. Mas não terminou a frase. Tocou com as pontas dos dedos no meu queixo e levantou-se. Ficou algum tempo assim de costas, imóvel. — Posso abrir as janelas?

Baixei a cabeça. Chegara o momento de vê-la. Mas tinha que ser já? Apanhei depressa a escova e puxei os cabelos para a cara, escovando-os até que formassem uma espessa cortina entre nós duas. Meu Deus, faça com que ela não tenha mudado, faça com que esteja igual! O sangue aqueceu-me o rosto. Vinha-me agora a certeza de que eu a veria como antes, como naquela tarde em que a encontrei com André pela primeira vez, "André, esta é a minha filha". Atirei os cabelos para trás. Ficamos na luz como tínhamos ficado no escuro. A prova mais dura tinha terminado. Corri para abraçá-la.

— Quis tanto te quebrar e quem se quebrou fui eu.

Ela arqueou as sobrancelhas numa expressão graciosa mas dolorida.

— Os velhos vão-se enrijecendo, Raíza, fica difícil quebrá-los. E os jovens se reconstituem tão depressa que em poucos dias todas as marcas desaparecem. Amanhã ou depois você estará radiosa outra vez.

Alisei-lhe a gola da blusa que tinha um ligeiro vinco.

— Minha mãe linda — murmurei voltando-me para o espelho. — Em compensação, olha o estado em que fiquei...

Ela saiu para voltar em seguida com um copo de leite. Estava morno e doce. Bebi-o de olhos fechados.

— Então você está uma ruína? Literatura, filha — sussurrou passando suavemente a escova nos meus cabelos. — Quero ver essa *ruína* assim que encontrar um novo amor, tão grande, tão definitivo que só terá uma solução lógica, o casamento.

— Não, mamãe — protestei veemente —, não quero mais amar. E não me fale nem brincando em casamento, juro que não peço a Deus mais do que um pouco de sossego. Quero aceitar minha solidão.

Ela atalhou-me, rápida.

— Literatura ainda. Daqui a pouco você me dirá que a carne é triste e que já leu todos os livros, todos!... Literatura, filha, porque na verdade você leu pouco, sabe? E a carne até que não é tão triste assim.

Olhei-a através do espelho. Qualquer citação agora nos faria pensar nele. A carne não é tão triste, ela contestara com firmeza. Como se já soubesse também que a carne não é triste quando existe o amor.

Escondi nos bolsos do pijama as mãos geladas. Pela segunda vez senti sua presença ali no quarto mas agora ele me pareceu mais distante, mais abstrato. Tinha a expressão ansiosa de quem está atrasado, "Vou dar uma aula, Raíza, e ainda nem fiz a barba!". Deixei-o partir.

— *Rosae, Rosarum...* Ah, mamãe, se eu pudesse adivinhar!

— Não mudaria nada, as coisas teriam se passado da mesma forma — murmurou ela lançando o calmo olhar em redor, à procura da caixa de fósforos. Achou-a na cama, sob uma dobra do lençol. Apagou o palito com um sopro e quebrou-o no meio. Acariciou meu queixo: — E então?...

— E então, mamãe querida.

— Vou preparar seu banho de imersão. Quer sal na água?

— Mamãezinha, não se incomode, pode deixar...

— Hoje ao menos, Raíza — pediu tomando-me pelos ombros.

Inclinei a cabeça até encostar a face na sua mão.

— Bastante sal que estou dolorida como se um trator tivesse passado em mim.

No filme, era um exército. "Um exército já desfilou sobre este corpo", disse a mulher de vestido decotado e olhos pesados de rímel. Foi a única frase que me ficou de todo o enredo. Na rua, apertei o braço do meu pai: Aquela mulher, paizinho... Disse que um exército passou em cima dela! Meu pai fez aquela cara perplexa, de quem não tinha entendido bem. E enveredou para a história da princesa que queria um vestido da cor do mar com seus peixinhos. Assim ele costumava fugir das perguntas difíceis. Das situações difíceis, "Raíza, já contei a lenda do Moinho Encantado?".

Já, paizinho, já contou. Voltei-me para a mesa de cabeceira: no porta-retratos de couro, ele continuava no seu misterioso jardim. Lembrei-me então do sonho, do desgarrado trecho do sonho da noite anterior: eu estava deitada nos pedregulhos cobertos de limo quando alguém veio por detrás e disse baixinho que meu pai morreu no sábado. Fiquei a olhar os pedregulhos. Mas ele morreu há muito tempo! exclamei. E a pessoa moveu obstinadamente a cabeça, Foi no sábado, ele morreu no sábado. Outra vez? perguntei antes de acordar.

Agora podia vê-lo melhor através do vidro. Morreu assim como viveu, delicadamente. E por delicadeza ainda não me disse o que tantas vezes, em sonhos, quis me dizer... "O que você fez, Raíza?!" Abri as mãos. Estava feito. Minha mãe apareceu na porta arregaçando as mangas da blusa.

— Não deixe a água esfriar, filha — pediu com brandura. E noutro tom, franzindo de leve as sobrancelhas: — Ali naquele canto eu pensava pôr o espelho, ainda ontem Dionísia foi buscá-lo. Mas quando ela descia a escada do sótão, inesperadamente ele se partiu...

— E caiu em estilhaços.

Minha mãe aproximou-se.

— Como é que você sabe?

Abracei-a. E fiquei lembrando o bico adunco do passarinho ferindo o vidro. Tantas vezes os cacos tinham caído aos meus pés! Já não importava que agora fossem reais.

— Era um espelho tão velho, mãezinha.

Com gestos precisos, ela dispôs minhas roupas na cadeira. Sem me fazer qualquer consulta, escolheu a calça comprida, a blusa, as sandálias... No banheiro, tirou a toalha do armário e apertou-a contra o peito, como se quisesse aquecê-la. Eram belos seus gestos, de uma beleza simples de rotina. Despi-me. Incrível, incrível. Gestos de rotina. Mas André não estava morto? Ainda na véspera... Na véspera, mãezinha, na véspera! O homem que te amava, o homem que certamente você amou... Ele estava morto há tão pouco tempo que as flores do caixão ainda nem tinham murchado completamente. E ali estávamos nós, tranquilas como se na véspera... Mergulhei depressa na água. Molhei o rosto e só então pude encará-la. E ela não representava.

— Vou pedir a Dionísia para fazer um lanche. Não se demore muito, filha.

— E Marfa?

— Ficou de aparecer mais tarde. Vou ver se a convenço, quero que venha morar conosco — disse antes de sair.

Seria bom, sim. Tentara tanto ajudar-me mas eu não entendi. Você acha que eu represento? perguntei-lhe certa vez e ela fixou em mim os grandes olhos estrábicos. "O tempo todo, compreende?" Mas se não agredir, serei triturada, respondi a Fernando, é preciso agredir para mostrar minha força. Ele encarou-me: "Para mostrar seu medo, meu carneirinho, o seu medo!".

Fernando, Fernando. Também ele me parecia quase tão perdido quanto André, via-os afastando-se de mistura com Diogo, João Afonso, Fabrízio — os mortos menos nítidos do que os vivos. E mais distantes.

Provei a água: era rude mas quente o gosto do sal. Aninhei-me no fundo da banheira azulada, ouvindo as vozes de Dionísia e de tia Graciana. Tia Graciana queixava-se de não ter tido oportunidade de vestir o vestido de listras, "O verão já está no fim", lamentou ela, "e não aconteceu nada de especial para estrear meu vestido". Dionísia devia estar batendo claras de ovos. Sua voz vinha sincopada, no ritmo das batidas: "Mas podia continuar aquele calor? Eu já andava sufocada...".

As palavras e os gestos retomavam seu caminho interrompido. "Como está quente!", tinham dito antes. "Como está frio!", diriam depois. E na véspera... Mas tinham acontecido outras vésperas e um dia eu perguntaria por aquela data como perguntara por aquele Quinze de Maio escrito a tinta na flor seca.

Quando saí da água tive um calafrio. Vesti-me rapidamente, fazendo uma ligeira massagem no ombro dolorido: de tudo ficara aquela nódoa azulada. E o gosto de sal na boca.

Parei na porta do escritório, minha mãe estava de costas diante da janela, olhando o céu fechado. Senti que ela estava pensando nele e meu coração se apertou de dor. Podia imaginá-la assim mesmo no hospital, olhando para André com o mesmo olhar com que olhava o céu. Contive-me para não correr a abraçá-la: assim de costas. Com o casaco de tricô atirado nos ombros curvos, ela era uma velha.

Fui à sala e abri o piano. Queria afastá-la da janela, fazê-la voltar depressa antes que André a tomasse de novo e desta vez, para sempre. Os primeiros acordes me assustaram, inábeis, confundidos. Prossegui tocando até que a catedral subiu triunfante à superfície. Então consegui dominar o teclado, sustendo as torres mais altas na crista espumejante das ondas. Veio-me uma alegria funda. Toquei com mais força. E voltei-me. Minha mãe estava atrás de mim, sentada no braço da poltrona.

— Você acha que eu serei uma pianista? Como sempre desejei, mamãe. Você acha?

Ela me envolveu no seu olhar transparente.

— É difícil dizer...

— Responda, mamãe, pode ser franca! Você acha?

— Não, Raíza, acho que não. Mas isso não tem importância, não é mesmo?

Deslizei os dedos pelo teclado. Não, não tem importância, não tem importância, eu fui dizendo no mesmo compasso lento da música. Surpreendi-me sorrindo. Era bom voltar a tocar, acima de tudo era bom voltar a tocar. Mais nada.

— E o romance? — perguntei-lhe.

— Estou refazendo certos trechos, tenho tantas dúvidas — acrescentou em voz baixa. — Nem sei ainda se vou publicá-lo.

— Você me dava uma ideia de tamanha segurança.

— Dava?

Mas não era mesmo estranho? André, André, você devia ter ficado para ver, mesmo sem vocação para a vida, você devia ter ficado até o fim. Também para mim Deus não dera ferramentas muito apropriadas. Contudo, eu O amava na sua imparcialidade. Repeti o acorde que soou dissonante. Eram essas as pobres ferramentas de que dispunha para traçar o perfil da minha mãe, como lhe prometera. Beethoven. *Os Adeuses.* E André? Que música sugeria André vivendo com a mesma inabilidade com que eu agora tocava?

Entrelacei no regaço as mãos trêmulas.

— Ele tinha o olhar dourado.

— Que foi, Raíza?

Voltei-me para minha mãe. Dionísia então entrou com a bandeja de chá. Mas antes de colocá-la na mesa, assustou-se. A campainha tocou mais forte. Minha mãe levantou-se.

— É o médico. Receba-o você, filha, aparecerei depois — pediu ela. E tomando Dionísia pelo braço: — Traga a bandeja para o escritório.

Lado a lado lá iam as duas xícaras. As duas xícaras. Exatamente como antes, naquela mesma hora, lá ia a bandeja de chá para o escritório com as duas xícaras juntas. Ela teria um olhar de desesperada saudade para a xícara vazia, ah, se nessa primeira tarde ficássemos juntos, se eu pudesse substituí-lo ao menos naquele instante. Adivinhei-a na mesma posição em que a encontrara há pouco, os ombros curvos, o olhar fixo no céu de aço. Ela precisava tanto de mim agora, tínhamos que ficar juntas! Mas Dionísia já abria a porta. Ouvi sua voz afetadamente cerimoniosa. Descobri que queria rever o homem que tinha cheiro de árvore.

— O senhor pode entrar, doutor.

Enxuguei as lágrimas. E fechei a janela ao sentir o sopro frio do vento. O verão terminara.

Sobre Lygia Fagundes Telles
e Este Livro

"*Verão no Aquário* é o testemunho de uma geração que se vê cara a cara com um mundo de valores em desagregação e, perdida, se vê soçobrar na desagregação do próprio ser."
NELLY NOVAES COELHO

"As situações são criadas com mão segura, que evita o patético e melodramático. Mas, além das circunstâncias literárias, vai ela atingir ainda um vasto território de magia, pois sua faculdade mitopeica se apoia numa imaginação cintilante."
FÁBIO LUCAS

"Ah, eu sou do ofício, mas não sei fazer apreciação crítica, só sei ler, gostar ou não gostar. Não aprendi literatura na faculdade; escrevo de ouvido, sem pauta nenhuma me guiando. Então, não tentarei um ensaio crítico sobre a obra de Lygia Fagundes Telles. Todos conhecemos a fortuna crítica da obra produzida pela menina de São Paulo, e o resultado da leitura é só um: a inveja. Até mesmo dos mais dotados."
RACHEL DE QUEIROZ

"A atmosfera de Lygia Fagundes Telles é sempre de mistério e serenidade, equilíbrio e sortilégio."
PAULO RÓNAI

Atração do Abismo

POSFÁCIO / IVAN MARQUES

Publicado em 1963, *Verão no Aquário* é o segundo romance de Lygia Fagundes Telles. Assim como no primeiro, *Ciranda de Pedra*, a protagonista aqui é uma mulher em plena juventude. E mais uma vez a autora faz coincidir, de modo engenhoso e poético, a descrição do processo de formação de uma identidade individual — da insegura, carente e irrequieta Raíza, que também é a narradora da história — com o retrato mais amplo de uma sociedade decadente e corrompida.

O livro descreve um conflituoso relacionamento entre mãe e filha. As duas forças em combate — o mundo decrépito e o mundo novo — estão figuradas já no título, no qual o *verão* parece corresponder à irrupção violenta de Raíza, ao passo que o *aquário* aludiria à proteção materna, essa redoma de vidro da qual ela intenta escapar. Contudo, à medida que a narrativa avança, somos levados a interpretá-la numa direção contrária (sugerida, aliás, pelo próprio nome da narradora-personagem). A mudança da perspectiva ocorre quando se constata a forte ligação que Raíza procura manter com as suas raízes — o amor fortíssimo que a une à mãe, ao falecido pai, à infância, ao passado. Sua busca desesperada por luz e liberdade não elimina o gosto obsessivo por ambientes fechados e escuros.

"Era verão também ali dentro?", pergunta-se a moça diante do aquário. O sol poderia entrar naquele espaço e transformá-lo? Mas quem desejaria de fato essa transformação?

Numa época de liberação dos jovens e de superação de barreiras, da qual a romancista desejou dar testemunho, o fato de Raíza entregar-se aos exageros da vida presente (festas, bebidas, namorados em profusão) não lhe franqueia a libertação, o desprendimento verdadeiro que a faria romper os limites do aquário. Ali dentro, assim como no útero, a vida parece bem mais confortável. Para que sair às ruas e enfrentar o verão violento?

Eis que a narrativa da transgressão juvenil se converte em reflexão sobre o movimento regressivo de determinada classe que, ao longo do penoso e contraditório processo de modernização da sociedade brasileira, veio a ser o assunto recorrente de boa parte da nossa produção ficcional. Como outros "cronistas da casa assassinada" (expressão cunhada pelo sociólogo Sergio Miceli, com base no título da famosa obra de Lúcio Cardoso), Lygia Fagundes Telles construiu um romance sobre a decadência burguesa no qual a corrosão é obnubilada por uma série de disfarces e mascaramentos.

Reservatório artificial, o aquário é um simulacro que resume o sentido profundo da narrativa. Para garantir a vida dos peixes, a empregada Dionísia se encarrega com zelo da higiene do aquário, mudando-o sempre de lugar. De forma semelhante, o mundo familiar de Raíza, embora arruinado pela falência e pela loucura, debate-se por manter as aparências, por conservar a higiene física e mental, ao passo que, na realidade, multiplicam-se os insetos devoradores e tudo aparece recoberto pela poeira.

Trata-se de um mundo paralisado, em que todas as ações se repetem, pertençam elas ao presente ou ao passado (o pai guarda livros no sótão, tio Samuel recorta as damas do baralho, tia Graciana faz costuras ou prepara suas misteriosas essências, a mãe que não para de escrever, a empregada com seus bordados etc.). Esse congelamento das imagens é redobrado pela obsessão das personagens com os retratos, em que a vida se imobiliza, ou com as gavetas, caixas e baús onde se deposita a memória. Raíza "guardava de tudo": retalhos de seda, anúncios de remédios, almanaques, pedregulhos…

Na mania de colecionar miudezas, cifra-se o impulso primordial da personagem e de sua classe: a preservação do *status*.

No aquário, tal como na "casa assassinada", procura-se criar a ilusão de vida onde não há mais vida. "Nesse aquário não há luta, filha. Nesse aquário não há vida", diz a mãe da narradora. Algo semelhante havia sido afirmado antes por Fernando, seu namorado *bon vivant*, ao comentar a impossibilidade do amor eterno: "Nada de querer guardar a flor dentro de um livro, não existe coisa mais triste no mundo do que fingir que há vida onde a vida acabou. Fica um amor com jeito desses passarinhos empalhados que havia nos escritórios dos nossos avós". Entretanto, Raíza não suporta a ideia da vida perecível. Daí o sofrimento vivido na infância, quando a força de um verão fez secar a água da fonte à beira da figueira. Associada à morte do pai, essa imagem da fonte seca é outra metáfora da ruína que a todo custo a família procura esconder, enquanto se vê obrigada a vender a antiga casa, que gostaria de transformar em museu.

A presença de metáforas, símiles e comparações é um dado que salta aos olhos na leitura de *Verão no Aquário*. Esse é, com efeito, o procedimento estilístico mais importante do livro, um recurso manipulado com destreza e elegância por uma prosadora que sempre demonstrou afinidade com a poesia. Podemos citar inúmeros exemplos de transposições metafóricas e assimilações entre dois termos, nas quais se repetem *ad infinitum* expressões como *parecer*, *lembrar*, *imitar* e, sobretudo, as conjunções comparativas *como* e *como se*, que se multiplicam por todas as páginas: "os pingentes de cristal pendiam como lágrimas turvas"; "segurava a agulha como se prendesse uma borboleta pelas asas"; "há pouco, o sol me queimava mas agora ele parecia se irradiar de mim"; "cheirava a jasmim que apodreceu no álcool"; "a escuridão tomou a forma de um pássaro de asas abertas"; "tio Samuel e ela lembrando sempre a polpa de frutos de sombra, sem perfume, sem sabor"; "arabescos que imitavam uma folhagem caprichosa" etc.

A reiteração dessas figuras de linguagem acaba por constituir um maquinismo produtor de imagens que funciona como fio condutor da narrativa, indicando mais que o simples desejo de criar uma prosa ornamental. Usado em uma quantidade fora do comum, esse recurso parece estar relacionado a importantes aspectos da narrativa. Em primeiro lugar, ele ajuda a caracterizar a "natureza contemplativa" de Raíza, seu temperamento vago e sonhador, que ela associa à influência do pai, embora a mãe é que tivesse uma carreira bem--sucedida de escritora. Mas o pai, farmacêutico fracassado, era também amante dos livros, e no romance há ainda outras personagens, como Marfa e André, que vivem ao redor das letras e das palavras.

"Escrever é sonhar", disse em entrevista Lygia Fagundes Telles. Em sintonia com o enxame de metáforas, há uma proliferação de cenas oníricas, delirantes, desvairadas, que ocorrem desde a abertura do romance, na qual a narradora sonha com o pai, "que tinha uma rosa em lugar do rosto". Os símiles compõem um mundo de ilusões, de fantasias e compensações, atuando como a bebida à qual se entregam a jovem e seu círculo de amigos. Embriagada pelo éter, Raíza chega a ver estrelas que despencam, chocando-se com os automóveis. Entontecida pelo sol, ao fechar os olhos enxerga no "céu vermelho", atrás das pálpebras, um baile de viúvas alegres.

Os sonhos se espalham por toda a narrativa. Além da figura do pai com "a cara desabrochada em pétalas", outra imagem onírica impressionante é a do pássaro empalhado que, num voo vertical, transforma em estilhaços o espelho do sótão. São imagens de impacto, em que se desenha uma beleza tipicamente surrealista. Elas promovem contínuas misturas e deslocamentos, a exemplo dos símiles e das metáforas. Aonde nos leva a soma de tudo isso? Que significa esse maquinismo desenfreado?

A simulação — gesto de fazer parecer real o que está longe de sê-lo — envolve dois procedimentos, *ocultar* e *imitar*. De ambos se vale a narradora-personagem, que a certa altura confessa, bem machadianamente, aliás, que "não é preciso mesmo ir aos bosques vienenses porque mais convincente do que o canto dos pássaros era a música imitando os pássaros". Não é necessário ser real quando se pode ser convincente. Em suma, não é preciso ser, basta parecer.

Raíza representa o tempo inteiro — "mesmo sem querer, o que é pior ainda", nas palavras da prima Marfa. Se ela considera a representação mais bonita do que a realidade que imita ou oculta, não falta à moça, porém, a consciência de que, para salvá-la, não bastaria um "arremedo de amor", seria preciso um "amor verdadeiro". O expediente de fingir revela-se tão ingênuo quanto o hábito de seu pai, que tentava disfarçar com hortelã o cheiro de álcool — ou tão inútil quanto a maquiagem das mulheres, obrigadas no meio da noite a expor, "sem disfarces", suas feições grotescas. O mesmo ocorrerá com Raíza. Ao final, também ela terá de admitir que estava "representando a farsa da moça que resolveu ser boazinha".

Mais do que boa, Raíza almeja ser uma santa. Pelo cristianismo, ela abandona os namorados, os cigarros, as festas, todos os valores de sua "geração esgarçada". Na verdade, é por causa de sua paixão pelo jovem e aflitíssimo André que ela se afasta dos amigos. Ao buscar a santidade, esse "anjo louro e corrompido" é movido pelo desejo de seduzir o suposto amante da mãe. O problema, logo se vê, é sempre com a mesma figura. Pianista precocemente frustrada, a narradora sofre por não ter conseguido emular o sucesso profissional, o equilíbrio, a presumida integridade da escritora Patrícia. Em seu desespero, parte para a conquista de André, que pretendia ser padre, sofregamente imitando-o na tentativa não de obter o seu amor, mas de se sentir amada pela mãe.

Oscilando entre os extremos da crença exacerbada e da irônica blasfêmia, a religiosidade de Raíza revela-se uma de suas representações mais ambíguas e inconvincentes. A mania de lavar as mãos e de examinar as unhas, como se refletissem algum pecado, faz pensar na limpeza constante do aquário, do qual ela nunca quis se libertar. Leia-se o comentário da narradora: "A alusão não podia ser mais evidente. Estou me despedindo do meu aquário, mamãe, estou me preparando para o mar, não percebe?". A alusão pode soar evidente, mas a correspondência é falsa. O que de fato impressiona é a simulação. Não é verdade que Raíza esteja partindo em direção ao mar. Seu desejo, ao contrário, é regredir à infância, encolher-se ("só vocês adultos e eu diminuindo"), ser "irresponsável como um feto" ou minúscula como os peixinhos sem pecado, passeando na água limpa. Não é o mar que está em jogo, mas, ainda e sempre, o aquário.

"E falaremos por metáforas, como convém aos intelectuais", diz a narradora à mãe, quando esta lhe acena com a possibilidade de uma conversa franca no futuro. Aqui se assume claramente não só a natureza encantatória e mistificadora das palavras, mas o caráter idealizador e hipócrita dos que as manipulam para encobrir a realidade.

Em seus depoimentos, porém, Lygia Fagundes Telles insiste sempre que a torre de marfim nunca foi o lugar dos grandes escritores. No lugar da alienação, propõe a convivência, sem a qual o escritor estaria condenado a criar coisas bonitas, mas inacessíveis e inúteis. É exatamente o que afirma Raíza, ao comentar as abstrações da literatura de Patrícia: "Minha mãe gostava de colecionar palavras, há anos que as colecionava cuidadosamente: eram todas belas e cheiravam a dicionários, perfeitas por fora, mas só a casca intacta desde que por dentro já não havia mais nada". A observação, como é fácil perceber, cabe, antes de tudo, à própria linguagem empregada por Raíza.

Está aberto o território para as ironias de Lygia. O difícil diálogo entre mãe e filha duplica-se no "duelo", igualmente amoroso e impiedoso, que se estabelece entre a narradora e a autora do livro. Em face da abundância dos símiles (o vício estilístico de Raíza), a romancista dispara uma espécie de antídoto: a artilharia dos *contrastes*, cujo objetivo é desestabilizar o edifício construído à base de metáforas e simulacros. A estratégia consiste, portanto, em expor as contradições.

Entre os pares de opostos que se destacam na construção da obra, chama a atenção, em primeiro lugar, o que reúne, com alto rendimento estético, os contrários *luz* e *escuridão*. "Eu era jovem e tinha o sol", escreve Raíza. O que importava, portanto, era afundar a cara na vida, abrir-se inteira para a luz e o calor. A moça, contudo, perde sua alegria e com ela o sol, aproximando-se de André e dos velhos parentes, no gosto por viverem ilhados em conchas, quartos escuros, mundos ideais.

É notável o efeito pictórico e cinematográfico de *chiaroscuro* que a narrativa obtém graças à recorrente contraposição de luz e sombra. Em quase todos os capítulos, alternam-se movimentos de abrir e fechar janelas, assim como de acender e apagar luzes. Muitas cenas e diálogos importantes ocorrem no escuro, na ambiguidade do lusco-fusco, tão propícia às dissimulações. É esse o clima preferido de Raíza: "Abri os olhos para a escuridão. As brasas dos nossos cigarros iam e vinham riscando o negrume num código indecifrável". À escuridão associam-se os desejos reprimidos, os mistérios insondáveis, a atração pelas mentiras que definem a nossa heroína. Raíza se compraz com os mistérios porque tem horror à luz clara. Prova disso é o seu desejo infantil de destruir os pequenos sóis, suspensos como pó no interior do quarto: "Então corri até a janela e fechei a cortina. Desapareceram todos. Podia adivinhar na penumbra a dança desesperada dos pequenos sóis sem luz".

Apesar de sua pele jovem e dourada, o "carneirinho louro" prefere os ambientes escuros. Esse movimento de retorno às trevas está em sintonia com a vontade de ressuscitar os mortos, de reviver o passado: "Pensei no espelho do sótão. Podia ainda, pela última vez, ver-me nele, pela última vez antes que os novos donos se apossassem da casa. Era preciso vendê-la. Mas antes eu me sentaria na sala e ficaria ouvindo a conversa silenciosa dos mortos dos retratos". O passado, convém reiterar, é o tempo anterior à falência econômica. Numa conversa com Marfa, a narradora deixa escapar que seu desejo é "ficar rica outra vez". O vazio e o desespero contra os quais ela luta teriam também esse outro nome assustador: pobreza.

Dentre todos os espelhos que aparecem no romance — nos quais a narradora vive a procurar-se —, o espelho do sótão da casa antiga é o que lhe devolve a imagem que ela mais aprecia. "Era ali o meu lugar", diz Raíza. No velho espelho, ela se reunia ao tio Samuel e ao pai (o louco e o fracassado), "todos da mesma cor do cristal doente". Era ali que a moça identificava a sua imagem, guardada há anos "como num retrato". O espelho, simbolizando a busca da identidade, contrapõe-se à janela, que implica a abertura para a alteridade, em outro par de contrários trabalhado com refinamento por Lygia Fagundes Telles.

As personagens de *Verão no Aquário* dão as costas para o mundo. Não se preocupam nem com a iminência de um conflito internacional (estamos no tempo da Guerra Fria), nem com a "revolução francesa" que parecia estar perto de ocorrer no Brasil. Velhos e jovens, todos permanecem à margem nesse extrato pequeno-burguês. Assim como André ou Fernando, Raíza "apenas assiste" aos acontecimentos. Contempla tudo de cima, de sua janela no sétimo andar. Essa "visão de janela" lhe garante distância em relação às nódoas da sociedade, pois do alto as coisas chegam até a parecer bonitas.

Mas o interior da casa é sempre mais aconchegante. Ali, como dentro do aquário, é possível não só renovar a água, mas também fabricar realidades segundo a própria vontade. "E nesse metro quadrado era só eu quem decidia: a casa continuava sendo nossa, a essência de jasmins tinha o perfume de cravos e a torta de laranja tinha o sabor de maçã", escreve Raíza. Importava apenas a possibilidade de exercer tiranicamente a imaginação, de preservar, contra os violentos sóis que vinham de fora, o espaço íntimo da casa. É por essa razão que o espelho se mostra mais irresistível do que a janela, cujas cortinas ficam de preferência fechadas. Por ser o repositório das recordações da infância, a casa é o lugar em que se protege a identidade individual.

E, por fim, há a contraposição entre superfície e fundo, diretamente ligada aos pares de opostos anteriores. Assim como se divide entre o claro e o escuro, ou entre a janela e o espelho, a narradora também hesita entre a alegria da vida simples e espontânea (a superfície) e a profundidade da crise existencial (o abismo).

A oscilação é metaforizada no comentário, responsável por uma das passagens mais belas do romance, sobre a música de Debussy (p. 48). Na catedral submersa no mar, há uma poderosa imagem alegórica do fracasso musical de Raíza, que deixou de tocar piano após sofrer uma crise profunda, mas sem abandonar o sonho de voltar triunfalmente à música (à tona). A imagem também alude à decadência familiar e à necessidade de recompor o passado. Curiosamente, a catedral repercute em outros afogados que aparecem no romance — falsos, como Marfa na banheira ("a espuma branca boiando sobre a imagem de uma afogada"), e verdadeiros, como o homem atirado ao mar ("vimos tudo e não pudemos fazer nada"). Este último faz pensar no suicida André, que nem mãe nem filha conseguem salvar. A esse respeito, comenta Raíza: "Não se pode fazer nada com tipos assim, é escolher, ou afundar com eles ou deixá-los que se afundem à vontade enquanto se vai para a tona".

Salvar a própria pele, manter-se a salvo dos perigos, distante de todas as misérias — eis o que importa a Raíza. O lugar de sua eleição é o aquário, em que se vê isolada de tudo, reconstruindo seu pequeno mundo familiar. Ela até desejaria afogar-se — viver as crises que a mãe, com sabedoria, chamará de literatura —, mas desde que isso não implicasse mergulhar até o fundo. Não por acaso, diz que a imagem no espelho do sótão era a de "três afogados na superfície de uma água vidrada". Como criança, Raíza não quer sair da parte rasa. "Era bom afundar para sempre mas seria preciso muita água, seria preciso um mar", admite a narradora. Em outras palavras, seria impossível afundar num aquário.

Raíza afoga-se em pouca água, faz tempestade em copo d'água. Sua atração pelo abismo é expressão do mais puro escapismo. Nasce da necessidade de preencher, ora com metáforas, ora com doses de desespero, o vazio de sua "linha interrompida". Essa interrupção, causada pela decadência, e o consequente apelo aos disfarces pertencem, como vimos, não só a ela mas também à sua classe. Eis como Lygia Fagundes Telles, num romance que poderia parecer apenas intimista ou espiritualista, vai além dessas fronteiras para realizar com maestria sua aguda crítica social.

IVAN MARQUES é professor de literatura brasileira na Faculdade de Filosofia, Letras e Ciências Humanas da Universidade de São Paulo (FFLCH-USP).

A Autora

Lygia Fagundes Telles nasceu em São Paulo e passou a infância no interior do estado, onde o pai, o advogado Durval de Azevedo Fagundes, foi promotor público. A mãe, Maria do Rosário (Zazita), era pianista. Voltando a residir com a família em São Paulo, a escritora fez o curso fundamental na Escola Caetano de Campos e em seguida ingressou na Faculdade de Direito do Largo São Francisco, da Universidade de São Paulo, onde se formou. Quando estudante do pré-jurídico cursou a Escola Superior de Educação Física da mesma universidade.

Ainda na adolescência manifestou-se a paixão, ou melhor, a vocação de Lygia Fagundes Telles para a literatura, incentivada pelos seus maiores amigos, os escritores Carlos Drummond de Andrade, Erico Verissimo e Edgard Cavalheiro. Contudo, mais tarde a escritora viria a rejeitar seus primeiros livros porque em sua opinião "a pouca idade não justifica o nascimento de textos prematuros, que deveriam continuar no limbo".

Ciranda de Pedra (1954) é considerada por Antonio Candido a obra em que a autora alcança a maturidade literária. Lygia Fagundes Telles também considera esse romance o marco inicial de suas obras completas. O que ficou para trás "são juvenilidades". Quando da sua publicação o romance foi saudado por críticos como Otto Maria Carpeaux, Paulo Rónai e José Paulo Paes. No mesmo ano, fruto de seu primeiro casamento, nasceu o filho Goffredo da Silva Telles Neto, cineasta, e que lhe deu as duas netas: Lúcia e Margarida. Ainda nos anos 1950, saiu o livro *Histórias do Desencontro* (1958), que recebeu o prêmio do Instituto Nacional do Livro.

O segundo romance, *Verão no Aquário* (1963), prêmio Jabuti, saiu no mesmo ano em que já divorciada casou-se com o crítico de cinema Paulo Emílio Sales Gomes. Em parceria com ele escreveu o roteiro para cinema *Capitu* (1967), baseado em *Dom Casmurro*, de Machado de Assis. Esse roteiro, que foi encomenda de Paulo Cezar Saraceni, recebeu o prêmio Candango, concedido ao melhor roteiro cinematográfico.

A década de 1970 foi de intensa atividade literária e marcou o início da sua consagração na carreira. Lygia Fagundes Telles publicou, então, alguns de seus livros mais importantes: *Antes do Baile Verde* (1970), cujo conto que dá título ao livro recebeu o Primeiro Prêmio no Concurso Internacional de Escritoras, na França; *As Meninas* (1973), romance que recebeu os prêmios Jabuti, Coelho Neto da Academia Brasileira de Letras e "Ficção" da Associação Paulista de Críticos de Arte (APCA); *Seminário dos Ratos* (1977), premiado pelo PEN Clube do Brasil. O livro de contos *Filhos Pródigos* (1978) seria republicado com o título de um de seus contos, *A Estrutura da Bolha de Sabão* (1991).

A Disciplina do Amor (1980) recebeu o prêmio Jabuti e o prêmio APCA. O romance *As Horas Nuas* (1989) recebeu o prêmio Pedro Nava de Melhor Livro do Ano.

Os textos curtos e impactantes passaram a se suceder na década de 1990, quando, então, é publicado *A Noite Escura e Mais Eu* (1995), que recebeu o prêmio Arthur Azevedo da Biblioteca Nacional, o prêmio Jabuti e o prêmio Aplub de Literatura. Os textos do livro *Invenção e Memória* (2000) receberam os prêmios Jabuti, APCA e o "Golfinho de Ouro". *Durante Aquele Estranho Chá* (2002), textos que a autora denominava de "perdidos e achados", antecedeu seu livro *Conspiração de Nuvens* (2007), que mistura ficção e memória e foi premiado pela APCA.

Em 1998, foi condecorada pelo governo francês com a Ordem das Artes e das Letras, mas a consagração definitiva viria com o prêmio Camões (2005), distinção maior em língua portuguesa pelo conjunto da obra.

Lygia Fagundes Telles conduziu sua trajetória literária trabalhando ainda como procuradora do Instituto de Previdência do Estado de São Paulo, cargo que exerceu até a aposentadoria. Foi ainda presidente da Cinemateca Brasileira, fundada por Paulo Emílio Sales Gomes, e membro da Academia Paulista de Letras e da Academia Brasileira de Letras. Teve seus livros publicados em diversos países: Portugal, França, Estados Unidos, Alemanha, Itália, Holanda, Suécia, Espanha e República Checa, entre outros, com obras adaptadas para tevê, teatro e cinema.

Vivendo a realidade de uma escritora do terceiro mundo, Lygia Fagundes Telles considerava sua obra de natureza engajada, comprometida com a difícil condição do ser humano em um país de tão frágil educação e saúde. Participante desse tempo e dessa sociedade, a escritora procurava apresentar através da palavra escrita a realidade envolta na sedução do imaginário e da fantasia. Mas enfrentando sempre a realidade deste país: em 1976, durante a ditadura militar, integrou uma comissão de escritores que foi a Brasília entregar ao ministro da Justiça o famoso "Manifesto dos Mil", veemente declaração contra a censura assinada pelos mais representativos intelectuais do Brasil.

A autora já declarou em uma entrevista: "A criação literária? O escritor pode ser louco, mas não enlouquece o leitor, ao contrário, pode até desviá-lo da loucura. O escritor pode ser corrompido, mas não corrompe. Pode ser solitário e triste e ainda assim vai alimentar o sonho daquele que está na solidão".

Lygia Fagundes Telles faleceu em 3 de abril de 2022, em São Paulo.

Na página 229, retrato da autora feito por Carlos Drummond de Andrade na década de 1970.

Esta obra foi composta em
Utopia e Trade Gothic por
warrakloureiro e impressa
em ofsete pela Gráfica Paym
sobre papel Pólen Bold
da Suzano S.A.
para a Editora Schwarcz
em setembro de 2024

A marca FSC® é a garantia de que a madeira utilizada na fabricação do papel deste livro provém de florestas que foram gerenciadas de maneira ambientalmente correta, socialmente justa e economicamente viável, além de outras fontes de origem controlada.